あなたの知らない、世界の

# 希少言語

世界6大陸、100言語を全力調査！

**ゾラン・ニコリッチ** Zoran Nikolić

藤村奈緒美：訳　山越康裕、塩原朝子：日本語版監修

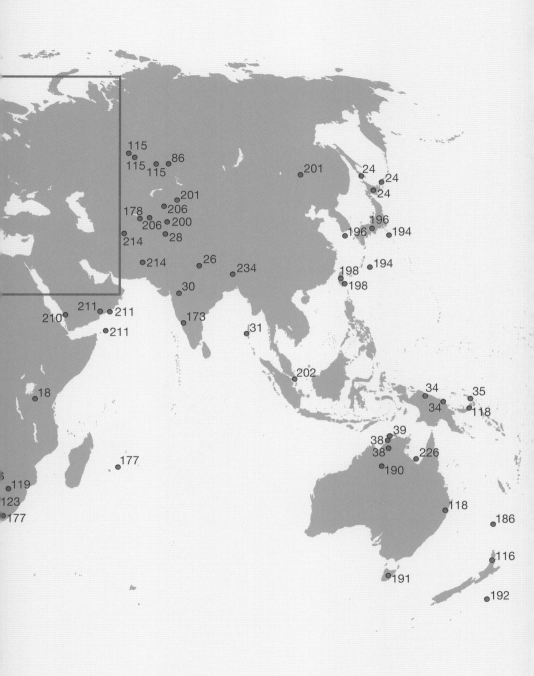

あなたの知らない世界の希少言語

# 目　次

## 孤立した言語

## インド・ヨーロッパ語族の言語島

# 世界各地の言語島

# 序文

セルビア語・セルビア文学教授

イバナ・ペリシッチ

　言語はわたしたちの暮らしに欠かせない。互いに自分の思いや感情を伝えたい、情報を分かち合いたい、という欲求は、人類の歴史が始まって以来常に存在し続けてきた。人間が初めて言葉を使うようになったのがいつかはわかっていないが、身振りや単純な音として始まったものが、時が経つにつれて高度に発展し、さまざまな言語が誕生したのである。

　人類はその歴史のなかで、絶えずある地域から別の地域へと移動してきた。肥沃な土地を求めてだったかもしれないし、紛争や気候変動や宗教など、ほかの要因があったかもしれない。こうして人が移動することによって国家が誕生し、国境が書き換えられ、民族は混ざり合い、それに伴って、彼らが話す言語も混ざり合った。そのため、言語が「純粋」なままであり続ける──つまりほかの言語の影響を受けず、もとの形をそのままとどめていることはまれだ。人間が常に理解し合い、自分を表現する必要があると感じているということは、用いられる言語も時とともに変化するということであり、そのことにより新しい言語が生まれてきたし、その一方で別の言語は消えてしまう。今日では、新しい言語が生まれるよりずっと速く多くの言語が失われつつある。

　現在、世界中にはおよそ7000の言語があると推定されている。そのなかで最も広く話されているのは英語だ。話者の数は、その言語が生き延びるかどうかを左右する要因である。ロシア語や中国語やヒンディー語のように話者数の多い言語は、その本拠地で変わることなく使われ続ける傾向にある。しかし、技術の進歩に伴い、そのような言語も外的要因の影響を受けつつある。言語が生き延びるためには、独自の要素を保ち、役目を果たしながらも環境に適応していかなければならない。ラテン語、古代ギリシャ語、古代スラブ語、コプト語のように「死んだ言語」とされているものさえ、文学、科学、法律、宗教で

用いられるなど、何らかの形で生き続けているのである。

　ある国における言語の地位は、世代によって変化することもある。複数の公用語が使われる国もある。例えば、アイルランド共和国ではアイルランド語が第1公用語、英語が第2公用語である。話者数は今では英語のほうが多いにもかかわらず、憲法で「国の」言語と定められているのはアイルランド語だけである。ドイツでは、トルコ語、セルビア語、ギリシャ語などの言語が移民とともに入って来た。これらの言語は、ドイツ語のような公的な地位は与えられていないかもしれないが、政府のウェブサイトでは次第に使われるようになってきている。ある国の少数派に属する人々は、母語と住んでいる国の言語の両方を使うかもしれない。子どもたちがバイリンガル、またはトリリンガルで育てられ、特にどれか1つの言語を中心に使うわけではない、という状況では、「母語」という概念はあまり意味を持たなくなる。

　本書は、民族と言語と地理のおもしろくも複雑な関係について述べている。同じ国の中でも、地域によってはその国に住むほかの人々がほとんどまったく理解できない言語が話されているのはどうしてだろう？　なぜ言語のなかには変化していくものがあるのだろうか？　そして、その変化がどれほど長く続くのかを決める要因は何だろう？　本書を読めばその答えにたどり着くだろう。さらに新たな事実と出合い、言語と場所のつながりに対するそれまでの理解が揺らぐことがあるかもしれない。

　著者は、わかりやすく興味を引く語り口で言語に関する知識を広げてくれている。皆様に、くつろぎながら本書を広げ、珍しい言語の数々を楽しんでいただけたなら幸いである。

# 言語島とは

　島がどんなものかは誰でも知っている。大陸よりも小さく、四方を水域に囲まれた陸地のことだ。ここでの水域とは、川のこともあれば、湖や海洋のこともある。この定義は単純明快で、疑問の余地はない。

　では、言語島（げんごとう）とは何だろう。「島」の定義に従えば、「言語島とは、ある言語が話されている地域であって、その言語よりもかなり話者数の多い1つ以上の言語に囲まれているところである」と言える。本書では、おおむねこの定義に沿って話を進めることにしたい。

　ここで大切なのが、**言語**と**方言**の違いを理解しておくことだ。この2つの用語を定義するのはさらに難しい。言語学者のなかには2つの方言を、別々の言語だとみなす者がいて、その多くが、2つの方言は近い系統関係を持つものの完全に独立した2つの言語である、と主張している。政治的要因によって問題が複雑になることもある。ある国が、自国の領土と威信を拡大するために隣国の言語を"着服"する場合があるからだ。だが、ふつう言語学者はこの点についてはあまり関心を持たないので、本書では次のような簡単なシナリオによって言語と方言を区別することにしたい。

- ●AさんとBさんがいる。
- ●Aさんは言語Aしか知らず、言語Bを話す人と接触したことがない。
- ●Bさんは言語Bしか知らず、言語Aを話す人と接触したことがない。
- ●AさんとBさんがそれぞれ自分の言語で話したとき、互いに相手の言うことを理解できるならば、言語Aと言語Bは方言である。
- ●AさんとBさんが、通訳なしでは互いの話を理解できないならば、言語Aと言語Bは、系統関係を持ってはいても、別々の言語である。

　本書の目的は、現在世界各地にある言語島の数々を紹介すること、そして、時の流れのなかで大きな言語に吸収されてしまった過去の言語島のうち興味深いものを紹介することである。

　**なお、本書の著者（240ページ参照）は言語学者ではなく、本書は学術的な著作ではない。各地の興味深い言語の事例の単なるコレクションとしてお読みいただきたい。**

孤立した言語

# 孤立した言語とは

　わたしたちが暮らす地球の言語多様性を理解するために、まずは世界で現在使われている言語が約 7000 種類あるということを知っておこう。さらに、消滅した数百種類の言語の研究も進められており、そのなかには、日常的に用いる言語として復活させようとする試みが行われているものもある。

　ほとんどの言語は**語族**というグループに分類される。語族という概念は、ある言語の方言は時とともに発展して系統関係のある別の言語になることが多い、という推測にもとづく。これを説明するために用いられるのが**言語の系統樹**だ。主たる「幹」が祖語であり、ここから分かれた「枝」が、祖語から比較的最近分かれた言語を表す。枝から新たな方言が発展するにつれて、「樹冠」はますます生い茂る。時を経て、枝は消滅言語として落ちてしまうこともあれば、独自の新しい語族へと成長を遂げることもある。（訳注：英語で枝を表す branch を日本の歴史言語学では伝統的に「語派」と訳しており、以下の記述でもこの術語を用いることにする）

　次ページのイラストは言語の系統樹の例だ。幹が表すのは「ゲルマン語派」で、これ自体、もともとはインド・ヨーロッパ語族の枝の１つだった。この幹がやがて西ゲルマン、北ゲルマン、東ゲルマンへと枝分かれして、ゲルマン語派という別のグループとなったのである。

　時が経つにつれて北ゲルマンはさらに枝分かれし、新たな語群となった。こうしてできた枝が、現在のスウェーデン語、デンマーク語、ノルウェー語、アイスランド語などである。残念ながら、東ゲルマンの枝は落ちてしまった。この語群の言語がすべて消滅してしまったからだ。現在使われている言語も、長い年月が経てば、さらに枝分かれするかもしれないし、すっかり消えてしまうかもしれない。

　この規則の例外が**孤立した言語**だ。すなわち、「ほかの語派または語族全体との系統関係を認めることができない言語」のことである。例としては、アルメニア語、アルバニア語、ギリシャ語がある。これらの言語は間違いなくインド・ヨーロッパ語族に属するが、現在の知識によれば、この３つの言語はそれぞれが単独の語派であって、インド・ヨーロッパ語族のほかの語派とは系統

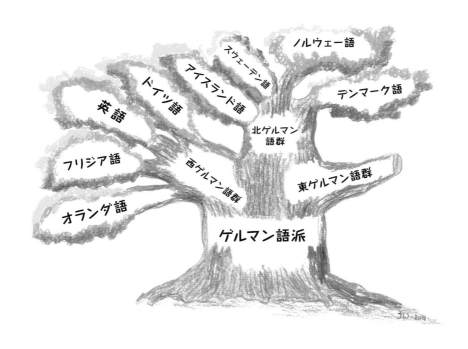

関係を持たないとされる。

　孤立した言語のなかには、どの語族とも系統関係が認められないものもある。例えば、現在スペインとフランスにまたがるバスク地方の一部で用いられているバスク語、日本のアイヌ人の言語、パキスタン北部のブルシャスキー語、古代シュメール語などがある。これらの言語については、多数の学者が研究を重ねてきたにもかかわらず、今も使われている言語のいずれかと系統関係があるという明白な証拠は、これまでのところ見つかっていない（推測や仮説のレベルであれば、消滅した何らかの言語と系統関係があるという説は存在する。例えば、既に消滅したアクイタニア語がバスク語の祖先または近縁の言語だったと考える言語学者もいる）。

# ヨーロッパ

　ヨーロッパでは数多くの言語が用いられ、話者の数は言語によってさまざまだが、ほとんどは**インド・ヨーロッパ語族**という巨大な語族に属している（話者の数は世界全体で約 32 億人）。実際、語族の分布図を見ると、ヨーロッパではインド・ヨーロッパ語族が一面に広がり、ほかの語族は大海に浮かぶ小島のように点在している。

　ほかの語族のなかで最も重要なのは**ウラル語族**で、そのうちとりわけヨーロッパで優勢なのが**フィン・ウゴル語派**と呼ばれるグループである（話者数は合計で 2500 万人）。このグループに含まれる言語を現在も使っているのは、主に中央ヨーロッパ（ハンガリー）と北ヨーロッパ（フィンランド、エストニア、ロシアの一部）だ。

　**アルタイ諸語**（語族であるという説が提唱されているが、比較言語学者の多くは認めていない）の言語──主にトルコ語とアゼルバイジャン語はヨーロッパ大陸南東部の数カ所で話されている。世界全体で見れば、この諸語に属する言語の話者は、どの言語を含めるかにもよるが、数億人にのぼる。一方、最も小さな語族の 1 つ**カルトベリ語族**に属する言語（話者は全部で 500 万人）も、やはりこの地域で用いられている。この語族のうち話者数で 4 分の 3 を占めるのがジョージア語だ。

　このほかヨーロッパには、どの言語から見ても、そしてどの語族から見ても異色な言語が 1 つある。それが、バスク語だ。話者の数 100 万人足らずの小さな言語で、ヨーロッパの、それどころか世界中に存在するどんな言語とも系統関係が見られず、孤立した言語の典型的な例となっている。

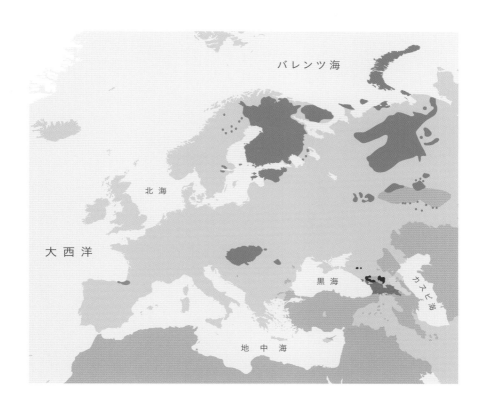

## 言語

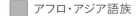 アフロ・アジア語族

アルタイ諸語

 バスク語族

北東コーカサス語族

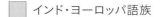 インド・ヨーロッパ語族

 カルトベリ語族

北西コーカサス語族

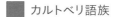 ウラル語族

※北東・北西コーカサス語族の系統については諸説あり、現時点では定説が確立されていない。

## バスク語（フランス／スペイン）

フランス

ビスケー湾

北バスク
（イパラルデ）

バスク自治州
（エウスカディ）

南 バスク
（エゴアルデ）

ナバラ自治州
（ナファロア）

スペイン

　ヨーロッパ大陸の西の端、堂々たるピレネー山脈の裾野がビスケー湾と大西
洋に向かって広がるところに、**バスク人**の地がある。彼らの言語は、ヨーロッ
パで現在使われているなかでは（おそらく）最古の言語だ。バスク人の起源に
ついては、専門家の間でも見解が分かれている。彼らの祖先は1万5000年
以上前に北アフリカからやって来たのではないか、という説が有力だが、バス
ク人の起源はコーカサス地方かもしれないとする資料もある。ただ1つはっき
りしているのは、バスク語が現在知られているどの言語（現在使われているも
のも消滅したものも含む）からも完全に孤立していることであり、バスク語は
今に残る唯一の**古ヨーロッパ言語**なのだ。

歴史的に**「バスク人の国」**（バスク語で**エウスカル・エリア**）とされてきた地域はスペインとフランスの国境で二分されている。スペイン領の南バスク（バスク語でエゴアルデ）が 86%、フランス領の北バスク（同イパラルデ）が残りの 14% を占める。

　スペイン領南バスクには 2 つの自治州、つまり、バスク自治州（バスク語でエウスカディ）とナバラ自治州（同ナファロア）がある。バスク自治州では**バスク語**は**スペイン語**と並ぶ公用語だが、ナバラ自治州では、バスク語を公用語とする地域は限られている。ナバラ自治州全体で見ると、バスク語を日常的に使う人は総人口の約 15% にすぎない。

　「バスク人の国」全体の人口は 300 万人弱で、そのうち 70 万人がバスク語を話す。この地方を構成する 7 つの歴史的地域の人口の約 25% に相当する人々だ。

　しかし、生徒の多くは標準バスク語で授業を行う学校に通っており、メディア、ソーシャルネットワーク、公的文書なども含め、日常生活のなかでバスク語を使う機会は次第に増えている。

伝統的なバスクのカーニバル。スペインのナバラ北部にて。

# アフリカ

　アフリカ大陸は、記録が残る最古の言語の1つである古代エジプト語が使われていた地で、最古の文字資料は5000年ほど前に書かれたものだ。現在、古代エジプト語の流れをくむコプト語が、今もなおコプト教会の典礼で使われているほか、コプト教会のごく少数の信徒たちの間で日常語として用いられている。

　アフリカで話されている言語はすべて、非常に大きな語族またはグループのどれかに分けることができる。**アフロ・アジア語族**、**ナイル・サハラ語族**、**ニジェール・コンゴ語族**、**バントゥー語群**（ニジェール・コンゴ語族のなかの1語派とされる）、**コイサン諸語**（言語学的ではなく地理的分布による区分）、**インド・ヨーロッパ語族**、マダガスカル島で話されている**オーストロネシア語族**のいずれかである。先住民の言語の総数は約2000を数え、ナイジェリアだけでも500近くの言語がある。こうした言語の多くは主に情報の不足により分類がはっきりしていないが、孤立した言語だと考えられているものもいくつかある。

地中海

エジプト

マリ　　ニジェール

バンギメ語

ブルキナ
ファソ

ナイジェリア

ハッザ語

タンザニア

大　西　洋

ナミビア

インド洋

# ハッザ語（タンザニア）

**ハッザ人**または**ハッザベ人**（それぞれ「人間」、「人々」という意味）は、タンザニアのセレンゲティ国立公園とンゴロンゴロ・クレーターの南にある**エヤシ湖**周辺の地域で数万年前から暮らしてきた。考古学上の発見により、この地域ではハッザ人のような狩猟採集民が少なくとも5万年にわたり暮らしていたこと、**バントゥー系**の民族がこの地域にやって来たのは、それよりずっとあと──今から2000年ほど前だったことがわかった。

ある（有力ではない）説によれば、すべての人類は3つの「枝」に分けられるという。ハッザ人、ナミビアの**ジューホアン人**、そしてそれ以外の民族だ。この説の根拠は、ハッザ人とジューホアン人がどちらも話すときにクリック音（吸着音、舌打ち音）を用いること、そして彼らのミトコンドリアDNAが、これまでわかっている範囲では全人類中最も変化に富んでいることで、これは彼らが人類の「系統樹」から最も早く枝分かれした人々の子孫であることを示している。

ハッザ人の数は現在1300人ほどで、そのうち約1000人が古くから伝わる孤立した言語、**ハッザ語**を使っている。今でもほとんどの子どもがこの言語を習得しているため、ハッザ語は消滅の危機にあるとはみなされていない。何か外国語の数え方を覚えたいなら、ハッザ語はお勧めだ。数字の1はイチャーメ（itchâme）、2はピエ（piye）、そしてアツェ（ace）は「たくさん」。それだけ覚えればいいのだから楽である。ほかの数詞はすべて、近隣の言語、主に**スワヒリ語**からの借用語である。

ハッザ人の社会は、平等なのが特徴だ。年齢や性別が違っても、社会的な立場はあまり変わらない。さらに、育児をする母親を手伝うのは、親戚であろうとなかろうとごく当たり前のことだ（ただし、民族の規模と歴史を考えると、全員が何らかの血縁関係にあるとも考えられる）。誰かが亡くなると、その亡骸は茂みの中に置かれ、ハイエナにゆだねられる。ハッザ人は暦を持たず、野菜や穀類の栽培もしない。食料は狩りの獲物だけだ。彼らはいつも自分たちを取り巻く自然と調和した生活を送ろうとしている。

ハッザ人の狩人。

# バンギメ語（マリ）

　**ドゴン人**の地は広大で、マリ、ブルキナファソ、ニジェールにまたがる。この地に暮らすドゴン人は、色鮮やかな仮面（途方もなく巨大なことが多い）、魅力的な木彫りの像、独特な建築物で有名な民族だ。ドゴン人は長年にわたりイスラム教を受け入れるよう強い圧力を受けていたため、14世紀から16世紀にかけて、村を平地から**バンディアガラの断崖**に移して暮らすようになった。高さ約500メートルの石灰岩の断崖が長さ150キロも続くこの地で、容易には近づけない台地と峡谷の恩恵を受け、比較的平穏に暮らしてきた。

　現在は100万人近いドゴン人が存在し、その言語は、種類こそ多いものの（約20の言語があるほか、方言も、少なくとも同じくらい存在する）たいていは系統関係を持ち、全体でニジェール・コンゴ語族から分かれた枝の1つを構成すると考えられている。ただし、ドゴン人のうち約3500人からなるグループは、**バンギメ語**という、ほかのドゴン人の言語とはまったく系統関係のない言語を話す。実は、この言語はアフリカの、そして世界のどんな言語とも、まったく系統関係がないらしいのだ。

　この民族は自らを**バンガンデ人**と称し、バンディアガラの断崖の奥にある、あまり人目につかない峡谷で暮らしている。主な居住地は**ブヌ**だが、その周囲にも、さらに小規模な村が6つある。バンギメ語は、ドゴン人が移住してくるずっと前に、この断崖に住んでいた先住民が話していた言語の名残だという可能性もある。おかしなことに、バンガンデ人が自分たちはドゴン人であり自分たちの言語はドゴン語の一種、またはその方言の1つだと考えているのに対し、ほかのドゴン人は、バンガンデ人は民族も言語も自分たちとは違う、と考えている。バンガンデに伝わる話によれば、奴隷貿易が行われていた時代、近隣の村で奴隷にされていた人々がバンガンデ人の村に逃げてきて、バンガンデ人は彼らを自由な人間として受け入れた。元奴隷の多くはそのまま村に留まり、言葉を覚えて同化したのだという。

バンガンデ人の多くが居住するブヌ村。

# アジア

　アジア大陸は、広さと人口だけでなく、話されている言語の数でも群を抜いている。おおまかに言うと、特に大きな言語グループとしては、**シナ・チベット語族**、**インド・ヨーロッパ語族**、**テュルク語族**、**オーストロネシア語族**、**日本語**、**朝鮮語**などがある。しかしアジアでは、孤立した言語、つまり、ほかの言語と何らかのつながりがあることが立証されていない言語もいくつか使われている。

　最近まで、日本語と朝鮮語はどちらも孤立した言語に分類されていた。だが最近の研究により、実は朝鮮語は、済州島の言語と、おそらく六鎮の言語（北朝鮮の最北東部で話されている言語で、方言かもしれない）とともに、朝鮮語族を構成していると結論づけられている。日本語も似たような状況で、かつては孤立した言語だとされていたが、現在では、琉球諸語、そして東京の南方にある2つの島で話されている八丈語と合わせて、日琉語族を構成する言語の1つであるとみなされている。

北 極 海

ロシア

オホーツク海

**アイヌ語**

北朝鮮

韓国

中 国

日本

**ブルシャスキー語**

ネパール

パキスタン

**クスンダ語**

太 平 洋

**ニハリ語**

アラビア海

インド

ベンガル湾

南シナ海

**北センチネル島**

インド 洋

# アイヌ語（日本）

　**アイヌ語**は、**北海道**、ロシアの**サハリン島**、千島列島で古くから話されていた言語である。**アイヌ人**の最古の祖先は、1万5000年以上前に日本列島に渡ってきたと考えられている。この最初の定住者が築いた**縄文文化**は紀元前300年頃まで続き、その後**弥生人**が朝鮮半島から渡ってくるようになった。弥生人と縄文人が活発に交流して日本という国が誕生したが、弥生人のほうがはるかに優勢だった。一説によると、この状況を逃れて北方に渡った縄文人のグループがアイヌ人となり、別のグループは南に逃れて琉球列島に住み着いたという。

　アイヌ人にとって最も過酷な時代は19世紀後半に始まった。近代国家として新たなスタートを切った日本が、アイヌ語の使用だけでなく、アイヌの風習や生活様式も完全に禁じたためである。アイヌ人もアイヌ語も衰退し、完全に日本に同化してしまうかと思われた。だが20世紀が終わろうとする頃、アイヌ人の萓野茂がようやく国会議員に選出され、おかげで危機は回避された。萓野は自らの民族の権利を求めて国会で果敢に闘い、彼の死から13年後の2019年、アイヌ人が日本の先住民族であることを正式に認める「アイヌ新法」が成立した。残念ながら、アイヌ語を日常的に使用するアイヌ人は数十人程度しかいない。萓野の生まれ故郷である**二風谷村**（アイヌ語の**ニプタニ**に由来。現在は、北海道沙流郡平取町二風谷）では、今でも住民の80%がアイヌ人で、今日の日本におけるアイヌ人居住地としては、おそらく民族的に最も均質性の高い場所だろう。

　最新の遺伝学的研究では、アイヌ人は**トリンギット人**などアラスカとカナダの太平洋沿岸の先住民と近い系統関係を持つことがわかっている。さらに、アイヌ人の祖先および先述した近縁の先住民の起源は、ロシア、カザフスタン、中国、モンゴルの四国国境（クワドリポイント）からそう遠くないところにある可能性が示されている。

　サハリンのアイヌ人はロシアとほぼ同化してしまい、最新データによれば、ロシアに住むアイヌ人は100人ほどしかいない。アイヌ人は千島列島にも住んでいた。かつての居住地であった列島南部の島々は、第二次世界大戦終結以来、ロシアと日本が領有権をめぐり争っている地域である。

アイヌの古式舞踊。北海道白老郡白老町の国立アイヌ民族博物館にて。

# クスンダ語（ネパール）

　ネパール中央部の熱帯雨林に、ある少数民族が住んでいる。熱帯雨林には緑がうっそうと茂っているが、彼らの言語には「緑」を表す言葉がない。あたり一面が緑なので当たり前のことをわざわざ表現する必要がないからだ、と一部の言語学者は指摘する。

　この少数民族は**クスンダ**または**バン・ラジャ**（「森の王」を意味する）と呼ばれているが、彼ら自身は**ミハク**と名乗っている。最近まで狩猟採集生活をしていて、時々「沈黙交易」という方法で狩りの獲物を近隣の民族と交換していた。これは互いに相手の言葉を話さない2つの集団の間で行われる交易手段である。クスンダ人が狩猟の獲物を置いておくと、ネパールの農耕民たちがやって来て、代わりに農作物を置いていく。クスンダ人は、置かれたものが気に入れば持ち帰り、農耕民も同様に獲物を持ち帰る。

　今日では、古くから伝わる言語を流暢に話すのはごく少数の年長者だけとなり、クスンダ語は極めて深刻な消滅の危機に瀕していると考えられている。

　従来クスンダ人は森に住む未開の民族だと考えられてきたため、自分の民族的なルーツを隠そうとする者が多かった。そして、民族の起源そのものもまた、彼らの注目すべき特徴と言えるかもしれない。一部の研究者によると、クスンダ人は、アフリカを出てオーストラリアへ、それからアジア南岸に向かった最初の人類の直系子孫であるという。また、言語学者のなかには、**クスンダ語**、**ブルシャスキー語**、**ニハリ語**、**ベッダ語**は、インド亜大陸にインド・ヨーロッパ語族とシナ・チベット語族を話す人々が移住してくる前に、その地で話されていた言語の名残ではないかと主張する人もいる。ただしこれらの言語は、やはりインド亜大陸でもともと話されていた**ドラビダ語族**には属さない。

クスンダ語を流暢に話す最後の1人とされる
ギアニ・マイヤ・セン。2020年に亡くなった。

# ブルシャスキー語（パキスタン／インド）

　ヒマラヤ、ヒンドゥークシュ、カラコルムの堂々たる山脈が出合い、澄んだ水とさわやかな空気に恵まれた**フンザ渓谷**。標高約 2500 メートルのこの地では、孤立した言語**ブルシャスキー語**が話されている。この谷に住むのは、**ブルショ人**または**フンザ人**と呼ばれる民族だ。伝説によれば、非常に長命な民族で、現代病とはほとんど縁がないという（この説はソーシャルメディアでも広まっている）。さらに、フンザ人の祖先はアレクサンドロス大王が率いた無敵の軍の兵士たちであるとも言われている。この "魔法" の谷は、アレクサンドロスが支配した**マケドニア王国**のまさに東の端、ギルギット・バルティスタン地域（パキスタンが実効支配している係争地カシミール地方）に位置する。

　だが、科学界の見解は、伝説やソーシャルメディアで語り継がれる内容とは異なる。科学的に見て、フンザ人はパキスタン北部やその周辺の人々より平均寿命が長いわけではない。都会や汚染された環境で暮らす人がかかる病気とは縁遠いかもしれないが、彼らは彼らで色々な病気にかかる。フンザ渓谷に住む人々の遺伝子検査を無作為に行ったところ、ギリシャ人に特徴的な遺伝子は見られないことがわかった。

　言語について言えば、ブルショ人の話す言語は実際、周囲の民族の言語を含めて現在使われているどの言語とも系統関係が確認されていない。**北コーカサス語族**、カルトベリ語族（なかでは**ジョージア語**が最もよく知られている）、**エニセイ語族**（現在も残るのはシベリア中央部に 200 人の話者を持つ**ケット語**のみ）などとブルシャスキー語との系統関係や、何千キロも離れたバスク語との関係を指摘する説さえあるが、いずれも広く受け入れられているとは言えない。

特徴ある帽子をかぶったフンザの女性たち。

　現在ブルシャスキー語を話すのは、パキスタン北部のフンザ渓谷のほか、**ナガール**、**ヤシン**、**イシュコマン**の各渓谷に住む10万弱の人々、それに、インドのジャンムー・カシミール連邦直轄領の夏季の主都**スリナガル**にあるハリ・パルバットの丘の周辺で暮らす350人ほどである。インドでブルシャスキー語を話す人々は、150年近く前に現在のパキスタンから追放された少人数のグループの子孫であるため、彼らが話す言語はパキスタンの人々のものとは多少異なる。それでも、互いの言語による意思疎通は依然として可能だ。

# ニハリ語と北センチネル島の言語（インド）

**ニハリ語**はインドで話されている孤立した言語の1つである。この珍しい言語を話すのは、インドの**マディヤ・プラデーシュ州**の最南端、マハーラーシュトラ州との州境に住む人々で、わずか2000人足らずしかいない。ニハリ語の特徴は、語彙の実に75%が近隣の言語からの借用語であるという点だ。残る25%は長年にわたり言語学者たちを悩ませてきた。いまだに言語の起源もほかの言語との系統関係も突き止められていない状態だ。

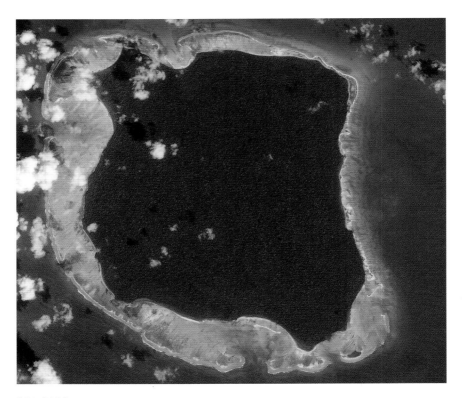

北センチネル島。

一説によれば、ニハリ語は古い言語が近隣のインド・ヨーロッパ語族から数多くの語を吸収しながら今に残ったものだとされている。別の説では、これは"本物の"言語ではなく、仲間内の言葉、または秘密の言葉であり、部外者がいるところでも理解される心配なしに会話できるよう、その地方の人々が考案したものだという。

　インド本土の南東、ベンガル湾には、インドの連邦直轄領であるアンダマン・ニコバル諸島が浮かぶ。この島々では、大小含めて（大きいものは**ベンガル**、**ヒンディー**、**タミル**、**テルグ**など）たくさんの言語が使われている。なかでも、あまり知られていない小さい言語の1つが、**北センチネル島**の住民の言語だ。

　**センチネル人**とその言語について、わかっていることをいくつか挙げてみよう。北センチネル島の住民は50人から500人程度。約6万年前にアフリカを出てオーストラリアに向かった最初の人類の直系子孫だと考えられている。彼らの言語は、系統不明または孤立した言語に属するとされる。この言語の研究が難しいのは、センチネル人が排他的で外界との接触をほとんど持たないためだ。かつて接触が試みられたとき、センチネル人は同じ諸島の別の島に住む人々の言葉が理解できないことがわかったため、彼らの言語は周囲の島々の言語とは系統関係がないと考えられている。現時点での結論はシンプルだ。センチネル人が自分たちのことを何と呼んでいるかはわからないし、自分たちの言語を何と呼んでいるかもわからない。彼らが自分たちの島を何と呼んでいるかすら、わからない。

　20世紀末、インドは北センチネル島への接近を法律で禁ずることを決定した。センチネル人と訪問者の衝突を避けるためもあるが、もし伝染病が島に持ち込まれると、周囲と隔絶して生活してきた人々の命を奪いかねないからでもある。現在、北センチネル島はインドの保護下にあるが、実質的には小さな独立国のような存在となっている。

# ニューギニア

　面積約 80 万平方キロ（トルコとほぼ同じ面積）のニューギニア島は、世界で 2 番目に大きな島であり、南半球では最大の島である（陸地としてはオーストラリアのほうが広いが、オーストラリアは大陸に分類される）。行政上は、アジアとオセアニアにまたがる 2 つの地域にほぼ 2 等分されている。島の東側を占めるパプアニューギニアは独立国家で、面積 46 万 2840 平方キロ、人口は 900 万人だ。西側はインドネシア領で、パプア州と西パプア州からなる。面積は 42 万 540 平方キロ、人口は 450 万人だ。

　ニューギニア島で使われる言語の多さは注目に値する。インドネシア領パプアでは 250 〜 300、パプアニューギニアでは 1000 以上の言語が話されているという。これほど膨大な数の言語が存在する背景には、いくつかの要因がある。ニューギニア島の中央には越えがたい高さの山脈がそびえ、国土を分断している。山脈の間にも行く手を阻む沼地が広がり、流れの速い川が走る。ニューギニアに人類が初めて定住するようになったのは 4 万年以上前だが、それ以来ずっと山や沼地や川に囲まれていたため、住人たちが自分の暮らす谷を離れることはめったになかった。

　こうした要因がすべて合わさった結果、数百という言語が別々に発展することとなり、今では**パプア諸語**というグループに分類されている。これは、あくまでも地理的な近さにもとづいて 1 つのグループにまとめられたものであり、そのほとんどの言語の間に近縁性や類似点は見られない。パプア諸語はニューギニアだけで話されており、**オーストロネシア語族**には属さず、オーストラリア先住民の言語の仲間でもない。数百のパプア諸語のうち、数十が孤立した言語である。

南シナ海

太平洋

インドネシア

アビノムン語

タヤップ語

クオット語

パプア
ニュー
ギニア

アラフラ海

ンド洋

珊瑚海

オーストラリア

タスマン海

# アビノムン語（インドネシア）

　インドネシア領パプア北部の森の奥深く、タリタツ川のほとりに村があり、300 人ほどの住人は**アビノムン語**（**フォヤ語**とも呼ばれる）を話す。この孤立した言語についてわかっていることはほとんどなく、悲しいことに、若い世代のほとんどは徐々に近隣のマンデル語へ切り替えつつある。ところが、そのマンデル語もやはり極めて深刻な状態にあり、消滅の危機に直面している。現在、アビノムン語を本当に話せる人は、わずか 50 人しかいないと推測される。

# タヤップ語（パプアニューギニア）

　長さ 1126 キロのセピック川はニューギニア最長の川だ。大部分はパプアニューギニアの北部に位置し、わずかながらインドネシア領内にも流れている。そのセピック川がビスマルク海に注ぎ込む地点からそう遠くないところに、**ガプン村**がある。住民は約 150 人で、孤立した言語である**タヤップ語**を話すのは、そのうち 50 人に満たない。現在、ほとんどの住人が「タヤップ語は時代遅れ」と考えており、若者は次第に、パプアニューギニアの 3 つの公用語の 1 つ、**トク・ピシン語**を使うようになってきている。ガプン村には興味深い風習がある。村の女性は子どもを産むと、通常、人里離れた特別な小屋に移り、赤ん坊が初めて笑顔を見せるまでそこで過ごすのだ。この風習のおかげで、母親はつかの間の休憩をもらうことができる。赤ん坊が初めて笑顔を見せたのがいつかは、母親自身で決められるからだ。

# クオット語（パプアニューギニア）

　ニューギニアの北東にある大きな細長い島、**ニューアイルランド島**に最初の定住者が上陸したのは 3 万 5000 年ほど前のことだ。海面が最も低かったときでさえ、この島が本土と陸続きだったことは 1 度もないので、移住してきた人々はその時点で既に航海術に長けていたことがわかる。紀元前 1000 年頃、オーストロネシアの人々が大勢、船でこの島にたどり着き、次第に住民の多数

派となっていった。現在、ニューアイルランド島では12万人ほどが暮らし、およそ20の言語が使われている。そのなかで、パプア諸語に属している（つまりオーストロネシア語族ではない）言語はただ1つ。それが**クオット語**だ。

　**クオット人**は2500人弱だが、そのうちクオット語を話す人は1500人に満たない。クオット人は、3万5000年前にニューアイルランド島にたどり着いた最初の定住者の子孫だと信じられている。これまでずっと受け継がれてきた彼らの言語（島の中央にある10あまりの小村で今も使われている）も、今や脅威にさらされている。若い世代がどんどんトク・ピシン語を使うようになってきているのだ。悲しいことだが、言語だけでなく、クオット人特有の風習もじわじわ消滅しようとしている。長い間、古い言語で執り行われてきた、呪文を唱えるなどの魔術的儀式もその一例である。

クオット人の伝統的なマラガンの踊りも、今やめったに行われなくなった。

# オーストラリア

　オーストラリアは人口密度こそ高くないが、先住民の言語が 300 ほど存在する大陸だ。その多くは孤立した言語で、残りは 30 近くの語族に分けられる。語族内の言語同士の系統関係は必ずしも明らかではなく、語族間の関係性もよくわかっていない。分類不明とされる言語もいくつかあるが、これはつまり、いずれかの語族に属しているのか、それとも孤立した言語なのかを判断するのに十分なデータがまだ集まっていないということだ。

　残念ながら、今後も多くの言語が未分類のまま残るだろうし、ある語族に分類されることになったとしても、その言語に関してはあまり知られないままで終わるだろう。というのも、先住民の言語は、ほぼすべてが消滅の危機に瀕しているからだ。実際に使われている言語は 100 あまりにすぎないとされている。90% 近くは消滅寸前であり、母語が子の世代に伝えられている言語は 15 種類にも満たないという。孤立した言語の数が最も多いのは、ノーザンテリトリー北部のトップエンドと呼ばれる地域である。

南シナ海

太平洋

インドネシア

パプア
ニュー
ギニア

アラフラ海

ティウィ語

ララギヤ語

ワギマン語

インド洋

珊瑚海

オーストラリア

タスマン海

# ララギヤ語

　かつては広範囲に住んでいた**ララキア人**だが、あまり知られていないその言語について何らかの知識を持つ人は、今となってはごくわずかだ。ララキア人が使う**ララギヤ語**（かつて地元では**グルミルギン語**と呼ばれていた）について、現時点でわかっていることはあまりない。孤立した言語なのか、この地域の、やはりあまり知られていない小さな語族に属するのかも、定かではない。ララキア語の話者は少なく、その知識も、少しばかりの単語や表現に限られている。それでも、彼らの土地であるララキア・ネーション（彼らの自称は「塩水の民」）は依然広い地域を占めており、そのメンバー2000人が特に誇らしく思っているのは、ノーザンテリトリーの州都ダーウィンが自分たちの土地に建設されたことだ。

# ワギマン語

　ノーザンテリトリーの町パイン・クリークの近郊、主に**カイブルック・ファーム**という小さな村には数十人の**ワギマン人**が住み、年長者数人が孤立した言語を話す。**ワギマン語**は文法が極めて複雑なのが特徴で、そのためもあって若者は自分たちの言語をどんどん**オーストラリア・クリオル語**と英語に切り替えつつある。そして、それによって彼らが希望する（あるいは何らかの）仕事に就ける可能性も高くなる。言語学者によれば、ワギマン語は遅くともあと数十年で消滅するという。テュワリイン（ダグラス）ホットスプリングス自然公園はワギマン民族の所有地であり、温泉とワギマン人にとって重要な聖地があることで知られる。そこでは、ワギマンの女性が宗教的儀式や文化的儀式を執り行う。聖地とされる場所に男性が立ち入ることは禁じられている。

# ティウィ語

　孤立した言語であるティウィ語を話すのは、ノーザンテリトリーの沖にある**ティウィ諸島**（ティウィ語では**ラトゥアティ・イララ**。「2つの島」の意）に住む、2000人以上の**ティウィ人**（ティウィ語では**トゥヌビビ**）だ。ティウィ語は先住民の言語としては、親から子へと無事に受け継がれている数少ない言語の1つである。その一方で、この言語は珍しい変化を遂げつつある。ティウィの若い世代は、英語の影響を受けて、かなり単純化された**現代ティウィ語**を主に使っているのである。今では、30歳以下はほぼ全員、それより年上の世代でも、大半がこの現代ティウィ語を話している。**伝統的なティウィ語**を使うのは、50人にも満たない年配話者であると見られ、現代ティウィ語の話者の多くは、伝統的なティウィ語をあまり理解できない。ティウィ諸島では、どの学校でもティウィ語を第1言語として教えている。

ティウィ人の墓標、「プカマニ」ポール。

# 北アメリカ

　ヨーロッパに植民地化される前、南北アメリカ全土で話されていた言語は数百、いや数千種類にのぼる。こうした言語は数十の語族に分けられ、そのうち現在最も大きなものとしては、約 60 の言語と 200 万人弱の話者を持つ**ユト・アステカ語族**、合計約 20 万人の話者がいる**ナ・デネ語族**（なかでも最もよく知られているのがアパッチ人の言語とナバホ人の言語だ）、約 10 万人の話者を擁する**アルギック語族**（代表的グループとしてアルゴンキン語派を含む）が挙げられる。これらの語族のほかにも、別の先住民の言語との系統関係が明らかになっていない、孤立した言語が多数存在する（とはいえ、その数は減り続けているのだが）。このセクションでは、そのなかからいくつかの言語を見ていこう。

カナダ

米 国

ズニ語 ●    ナチェズ語 ●
          （オクラホマ州）        ナチェズ語 ●
                      ミシシッピ川        （サウスカロライナ州）

● セリ語    ナチェズ語 ●              大 西 洋
          （ミシシッピ州）

メキシコ    メキシコ湾

ワベ語 ●

太 平 洋                    カ リ ブ 海

# セリ語（メキシコ）

　アラビア語がメキシコの太平洋岸で使われている？　そう、このことは、この言語の最初の単語一覧が作成された 19 世紀半ばには「面白ネタ」として知られるようになっていた。その後、19 世紀末になって、この地で話されているのはアラビア語の特殊な方言ではなく、少数の先住民が使う**セリ語**という言語であり、世界中のどの言語とも明確な系統関係が認められないということがわかった。この言語を話す人々は、自分たちのことを**コムカーク**と呼び、自分たちの言語のことは**キミケ・リトーム**と呼んでいる。「セリ」という語は近隣の民族の言語に由来するらしいが、その意味はよくわかっていない。現在セリの人々は、メキシコのカリフォルニア湾岸にある**プンタ・チュエカ**（セリ語では**ソカーイハ**）と**エル・デセンボケ**（セリ語では**アホル・イーオム**）という 2 つの小さな町におよそ 1000 人が暮らし、今でも盛んにセリ語を用いている。彼らのコミュニティーにはカリフォルニア湾に浮かぶ近隣の島々も含まれる。その 1 つ、**ティブロン島**はメキシコ最大の島（面積 1200 平方キロ）で、自然保護区に指定されている。

　この言語は比較的複雑で、いくつか興味深い特徴を持っている。近縁や遠縁の親族関係を表す言葉が極めて豊富で、男性か女性か、世代が上か下かによって、呼び方が細かく決まっている（孫でも、男孫か女孫か、祖母から見た孫か祖父から見た孫かによって異なる）。もう 1 つ興味深い点は、新しい事物に対して新しい語が導入されることはめったになく、その事物を描写する標準的な表現が用いられることだ。例えば、「新聞」はセリ語で hapaspoj cmatsj というが、これは「嘘をつく紙」という意味だ（ほかの言語でも使えそうな表現だ！）。そして「ラジオ」は ziix haa tiij coos――「そこに立って歌っているもの」である。

# ワベ語（メキシコ）

　メキシコ南東部にある短い地峡――テワンテペク地峡の太平洋沿岸、サント・ドミンゴ・テワンテペク市からあまり遠くないところに大きなラグーンがある。

その周辺は、大昔から少数の**ワベ人**が暮らす土地だ。もうお察しの方もいるだろう。ワベの人々は**ワベ語**という孤立した言語を話し、大勢の学者たちが、ほかのメキシコ先住民族の言語との系統関係を見つけようと何十年もの間、奮闘している。現在のところ、ワベ語が孤立した言語であることは、言語学者の間でもおおむね意見が一致している。ワベ人の言い伝えによれば、彼らの祖先は大昔に中央アメリカから渡ってきたという。現在は、4つの村に約1万8000人のワベ人が暮らし、そのうち1万2000人近くがワベ語を話す。4つの村にはそれぞれ方言があるが、言語学者のなかには、これらの方言はワベ語族に属する別々の言語だとみなせるのではないかと考える者もいる。

　ワベ人は、自分たちのことは「われわれ」（方言によって、**イコーツ**または**クナイツ**）、使っている言葉は「われわれの言語」（**オンベアイイウツ**または**ウンベヤイツ**）と呼んでいる。この言語が最も盛んに使われているのは**サン・マテオ・デル・マル村**で、住民の多くはワベ語を日常的に使っている。どの村でも、ワベ語が予期せぬ形で復興していることが確認されている。子どもや若者が先祖の言語のなかからいくつかの単語やフレーズや基本表現を覚え、完全にスペイン語しか使わなくなってしまった親たちには理解できない言葉を使って、ソーシャルメディアでやり取りしているのだ！

「サン・マテオ・デル・マル村へようこそ」の表示。ワベ語とスペイン語が併記されている。

# ズニ語（米国）

　米国ニューメキシコ州の、アリゾナ州との境からわずか5キロ、そしてグランド・キャニオンの西300キロほどに位置する**ズニ・プエブロ**には、約6500人が暮らしている。そのうちおよそ95%が**ズニ人**（ズニ語では**アシウィ**）で、**ズニ語**を話す。これも孤立した言語で、地元では**シウィマ**と呼ばれている。かなりの研究が試みられたが、系統関係のある言語は見つかっていない。それにもかかわらず、かつてはスペイン語、そして現在は英語の威力に圧倒されながらも、ズニ語は7000年近くにわたり発展を続けてきた。資料によれば、ズニ語は現在でも、家庭、宗教的な儀式、ラジオ、部族の会議などで日常的に用いられている。推定では、ズニ・プエブロとその周辺、そしてアリゾナの小さい地域に9500人ほどの話者がいるとされる。初等および中等学校のなかにはズニ人が自ら運営しているところもあり、それがこの言語の未来に希望を与えてくれる。

　ズニ人の主な経済活動は農業で、約3000年前に発達した灌漑システムが用いられている。この灌漑方式で特にユニークなのは、ワッフル・ガーデン（ズ

ズニ人のワッフル・ガーデン。

ニ語ではラトデクウィウェ）と呼ばれる畑だ。そこには、たくさんの四角形が
網目のように並び、それぞれの四角形は少し盛り上げた土で囲われているので、
水は全部、作物が育っている四角形の中央に集まる仕組みになっている。

# ナチェズ語（米国）

　ほぼすべての弱小言語は消滅の危機という問題を抱えている。たいていの場
合、最後に残ったわずかな話者が、より大きな周囲の民族に同化してしまうの
だ。そのような言語の１つが、孤立した言語である**ナチェズ語**で、この言語を
流暢に話した最後の話者ナンシー・レイブンが 1957 年に亡くなったとき、公
式に消滅したとされる。幸いにも、数多くの単語や表現、完全な形の物語が、
紙にも、レコードの前身である蝋管にも残されていた。おかげでナチェズ語は
徐々に復興し、現在、公式には少なくとも６人がこの言語を流暢に話すとさ
れている。

　ナチェズ人は、９世紀から 16 世紀にかけてミシシッピ渓谷の広い範囲で栄
えた**ミシシッピ文化**の最後の担い手であり、ナチェズの人々はこの文化を 18
世紀までしっかりと継承していた。太陽を主神とし、社会はいくつかの階級に
分かれていたが、風変わりな点が１つあった。婚姻は、常に階級が最も高い者
と最も低い者との間で成立していたのだ。

　フランスと英国の植民地と何度か衝突したのち、ナチェズ人の多くは奴隷と
してカリブ海に連れていかれ、残った者はほとんどが米国**オクラホマ州**に強制
移住させられた。この地で彼らは、チェロキー人、マスコギー（クリーク）人、
チカソー人、チョクトー人、セミノール人からなる、いわゆる文明化５部族
に加わって暮らすようになった。現在、ナチェズ人のほとんどはオクラホマ州
のチェロキー・ネーションとマスコギー（クリーク）・ネーションの領域に住
んでいる。先祖伝来の地であり、**ミシシッピ州**最初の州都でもあるナチェズ近
郊にも、まだ少数が暮らしている。また、**サウスカロライナ州**のエディスト川
流域にも約 130 人からなるナチェズ人のグループが住んでいて、ナチェズ語
の基礎知識を持つ人もわずかながらいる。

# 南アメリカ

　植民地化される前の南アメリカ大陸は、言語的には地球上で最も多様性に富んだ地域の1つであり、それはニューギニア島にも匹敵するものであった。ヨーロッパから侵略者が到来し、しばしば——主としてポルトガルとスペイン、次いで英国、フランス、オランダが残忍な支配を繰り広げ、先住民に対する差別も執拗に行ったため、多くの言語が急速に消滅していった。今日でもなお、数多くの民族とその言語が、完全に同化されかねない危機的状況にあり、言語学者たちは、南アメリカが遠くない将来、言語的に非常に貧しい地域になることを危惧している。現在のデータによると、南アメリカにはおよそ 1500 の民族が存在するが、その多くは独自の言語を持たないことが知られている。それでも、先住民の言語はわかっているだけで少なくとも 600 あり、40 ほどの語族に分けられる。これらの言語や語族のほかにも、南アメリカには系統不明の言語や孤立した言語が数多く存在する。

カリブ海

大西洋

トリニダード・
トバゴ

ワラオ語 ●

ガイアナ

ベネズエラ

スリナム

ブラジル

フルニオ語 ●

ボリビア

太平洋

大西洋

アルゼンチン

チリ

カウェスカル語 ●

ヤーガン語 ●

# フルニオ語（ブラジル）

　ブラジルの**ペルナンブコ州**アグアス・ベラス（「美しい水」の意）市の近くに、**フルニオ人**が暮らしている。ブラジル北東部で先住民の言語を話す最後の人々だ。彼らが話す**フルニオ語**または**イアテ語**（「われわれの言語」の意）は孤立した言語であり、話者はおよそ 1000 人いて、主に年長者である。日常のコミュニケーションではフルニオ語と**ポルトガル語**がほぼ同程度に使われているが、オウリクリの儀式では常にフルニオ語が用いられる。この儀式は 8 月末から 10 月まで、そのために一時的に設けられた場所で行われる。フルニオ人の大人は全員、少なくとも最初の 1 週間はこの儀式に参加するよう努め、可能な者は 3 カ月間通して参加する。儀式そのものは謎のベールに包まれているが、「儀式村」にいる間はアルコール、音楽、性交渉を慎むこと、そして、儀式ではコミュニティーの長とシャーマンが選ばれることがわかっている。

　フルニオ語には 1 から 10 までの数詞があるが、今日では、6 から 10 まではポルトガル語の数詞が使われ、もともとフルニオ語で使われていた複合語はあまり使われなくなってきている。例えば、フルニオ語の 6 は、訳すと「片手プラス 1」となる。

# ワラオ語（ベネズエラ）

　『スター・ウォーズ』シリーズに登場するヨーダ（緑色で、小柄な人間のような姿をしたキャラクター）は、かなり変わった語順で話すことで知られている。例えば、'Truly wonderful, the mind of a child is.'「実にすばらしい、子どもの心というものは」といった具合だ。ほとんどの言語では、ふつう主語・述語・目的語という語順になるため、目的語・主語・述語の語順になるヨーダの話法が違和感なしに理解されるのは、世界中の言語の約 0.3% しかない。その1つが**ワラオ語**である。**ワラオ人**はベネズエラ北東部の**オリノコ・デルタ**で何千年も暮らしていたが、**ガイアナ**北部のごく限られた地域や、**トリニダード島**、**スリナム**西部にも広がっていった。およそ3万人いるワラオ人のほとんどが日常的に母語を使い、周辺国に住むワラオの人々ともまったく問題なく話せる。しかし残念ながら、学校でワラオ語、別名**グアラウノ語**を学ぶことはほとんどないため、この言語の将来的な存続については不安視されている。

ワラオの家は高床式で、水の上に建てられる。

# ヤーガン語とカウェスカル語（チリ）

　南アメリカの最南端、**ティエラ・デル・フエゴ**とその近くの**パタゴニア**（現在はチリとアルゼンチンにまたがっている）は、ティエラ・デル・フエゴの3つの先住民族が住んでいる、または住んでいた地域だ。それぞれが独自の言語を持っている。**ヤーガン語（ヤマナ語とも）**、**カウェスカル語（カワスカル語、アラカルフ語とも）**、そして消滅してしまった**チョノ語**の3つで、どれも系統的に孤立した言語である。今も残る2言語も極めて深刻な状態にあり、どちらも話者はほんのわずかしかいない。ティエラ・デル・フエゴのもう1つの先住民、**セルクナム（オナとも）**は話者の減少が特に著しく、19世紀半ばの約4000人から20世紀前半には約100人にまで落ち込んだ。この激減を招いたのは、「セルクナムの虐殺」と呼ばれる出来事である。政府の後押しするキャンペーンにより、移住者たちがセルクナム人をほぼ皆殺しにしたのだ。

　興味深いことに、一説によると、ティエラ・デル・フエゴの先住民たちは北アジアからアメリカにやって来た人々の子孫ではなく、メラネシアや太平洋から舟でパタゴニアにやって来た人々の末裔であるという。そうであるならば、彼らがアメリカ最古の住民ということになる。もう1つ興味深いのは、ヤーガンの人々がヨーロッパ人と接触する前の衣服の話だ。彼らは比較的寒冷な地域に住んでいたにもかかわらず、ほとんどの季節を丸裸で過ごしていた。眠るときすら、体をまったく覆わないことが多かった。その代わり、動物の脂肪を体にたっぷりと塗っていた。現代の科学者たちの見解では、長い年月のうちに代謝が極めて活発になり、体が熱を大量に生み出せるようになったのだという。貝などの海産物を獲るため、冷たい海に裸で潜っていたことが知られている。

少年が大人になるための「ハイン」という通過儀礼では、お化けが少年たちを怖がらせようとする。

インド・ヨーロッパ語族の言語島

# スラブ語派の言語島

**スラブ語派**はヨーロッパ最大の語派だ。中央ヨーロッパと東ヨーロッパの大半で用いられているほか、南東ヨーロッパ、さらに北アジアと中央アジアでも使われている。スラブ系の言語はおよそ 20 あり、極めて小さな言語も含めて、一般的には**東スラブ語群**、**西スラブ語群**、**南スラブ語群**の 3 グループに分けられる。

## ブルガリアの言語島

**ブルガリア人**は南スラブ人に含まれ、ブルガリアとその周辺地域に暮らすほか、世界各地に離散している。現代のブルガリアという国は、民族的にはまったくつながりのない人々（**スラブ系民族**、**トラキア人**、**テュルク系ブルガール人**）が集まって成立した。

## ルーマニアとセルビアのバナト・ブルガリア人

　セルビアとルーマニアの国境のすぐ近く（**バナト地方**）に、**ドゥデシュティイ・ベキ**という地方自治体がある。民族的多数派である**バナト・ブルガリア人**（バナト・ブルガリア語では**パルチェネ**）の言語では、**スタル・ビシュノフ**という。2011年の国勢調査によれば、ドゥデシュティイ・ベキのコミュニティー全体の人口は4200人ほどで、そのうち60％以上をバナト・ブルガリア人が占める。

　バナト・ブルガリア人は独自のブルガリア語方言を話すが、近隣の言語（ルーマニア語、セルビア語、ドイツ語、ハンガリー語）からの借用語が多いのが特徴だ。ブルガリア本国が**キリル文字**を用いるのに対し、バナト・ブルガリア人はセルビア・クロアチア語の**ラテン文字**を転用している。現在、バナト・ブルガリア人はルーマニアに6500人、セルビアに約1500人住んでいる。なかには家族でブルガリア本国に戻った人々もいて、ドナウ川を北上したところにある村々（バルダルスキ・ゲラン、ドラゴミロボ、アセノボ）に定住し、**バナチニ**（「バナト出身の人々」の意）という新しい名称で呼ばれるようになった。

　セルビアにおけるバナト・ブルガリアの文化と言語の主な中心地は、**イバノボ村**（1150人の住人の30％弱がバナト・ブルガリア人）と**ベロ・ブラト村**（人口の8.5％がバナト・ブルガリア人）だ。イバノボはセルビアの首都ベオグラードの近くにある。

　ここではラテン文字で書かれた標準ブルガリア語とバナト・ブルガリア語の違いを、『星の王子さま』の一節で見てみよう。

**標準ブルガリア語（ラテン文字）：**

*Ah, manichak printse, taka postepenno razbrah tvoya malak tazhen zhivot. Dalgo vreme edinstvenoto ti razvlechenie e bilo sladostta na slanchevite zalezi. Nauchih tazi nova podrobnost na chetvartiya den sutrinta, kogato ti mi kaza: Mnogo obicham slanchevite zalezi.*

**バナト・ブルガリア語：**

*O manani princ, léku pu léku iznamervami mananata tajnust na toja žuvot. Za dalgju vreme ni si se predstáveli udvanu na hubusta na zasežǵenjétu na slancitu. I idna rabota détu sam ja iznamerili u ćtvartija denj sutirnata katu si mi ubadili: Tvarde mlogu mi harésva zasežǵenjétu na slancitu.*

## ウクライナのベッサラビア・ブルガリア人

オスマン帝国の支配下で抑圧されていた人々は、キリスト教の支配する地域へと移住した。18世紀末期から19世紀初頭にかけて、大勢のブルガリア人と**ガガウズ人**[1]が、ブルガリア東部の故郷をあとにしてドナウ川を渡り、ドナウ・デルタとドニエストル川の間のブジャク[2]という地域に移り住んだ。

この**ベッサラビア・ブルガリア人**はウクライナでは重要な少数民族で、約20万5000人のうち13万人近くがブジャク地方に住んでいる。隣国モルドバにも6万5000人が暮らす。

ウクライナの**ボルグラード市**とその周辺地域では、約1万5000人の人口の70%以上をベッサラビア・ブルガリア人が占める。1858年創設のボルグラード高等学校は、ブルガリア人の高等学校として最古参とされている。モルドバにおいて、最もベッサラビア・ブルガリア人に関わりの深い都市と言えば、南部の**タラクリア**だろう。人口の78%がブルガリアをルーツに持つという。ただし、**ガガウズ自治区**内での自治が認められているガガウズ人とは異なり、モルドバのブルガリア人はいかなる自治権も与えられていない。

ブジャクには、ベッサラビア・ブルガリア人をはじめ、その他の少数民族および少数派の言語を用いる人々が多数暮らしているが、日常のコミュニケーションに使われる主な言語はロシア語である。

1 ガガウズ人は東方正教会を信仰するテュルク系民族で、現在は主にモルドバ、ウクライナ、トルコに暮らす。
2 「ブジャク」という名称が生まれたのはオスマン帝国の統治時代（15世紀末から19世紀初めまで）で、「国境地帯」を意味するトルコ語 bucak に由来する。

# セルビアとモンテネグロの言語島

　　**セルビア人**と**モンテネグロ人**は歴史、宗教、言語において非常に結びつきが強く、**セルビア語**と**モンテネグロ語**は完全に相互理解が成り立つ。セルビア人は、スロベニアのベラ・クライナ地方または白カルニオラと呼ばれる地域にある村々と、北マケドニアのマルビンチ、ツルニチャニ、セレムリ（セルビア語ではセレムリヤ）、そしてニコリクの各村にも住んでいるが、ここでは、ハンガリー、アルバニア、ルーマニアの居住地について紹介する。

## ハンガリーのセルビア人

　オスマン・トルコの征服から逃れてきたセルビア人が住み着いた結果、ハンガリーの領土にセルビア語の言語島ができた。ハンガリーのセルビア人は国内の少数民族として認められ、公式には 7000 人あまりが暮らしている。今日のハンガリーでセルビア人が多数派を占める唯一の場所が、ブダペストの南 50 キロほどのところにある**ロレフ**（セルビア語では**ロブラ**）という村で、セルビア人の居住地としては最北に位置する。およそ 310 人の住民のうち 60%近くが正教徒のセルビア人で、残りはハンガリー人である。

　ロレフの近くには、少数のセルビア人が暮らしている場所がほかにもいくつかある。**ラーツケベ**（セルビア語では**スルプスキ・コビン**）という町の人口は 1 万人で、そのうち数百人がセルビア人だ。この町には、1448 年に建立されたセルビア正教会があり、これはおそらくゴシック様式で建てられた唯一のセルビア正教会だ。

ラーツケベ（スルプスキ・コビン）のセルビア修道院内部。

## クロアチアのモンテネグロ人

**ペロイ**は、クロアチア最大の半島であるイストリア半島南部に位置する小さな村だ。モンテネグロ人とペロイの物語は16世紀半ばに始まる。ペストとマラリアが蔓延してイストリアの人口が激減すると、ベネチア共和国は、1657年、トルコの圧政から逃れようとしていた東方正教会の信徒25家族を、現在のモンテネグロとアルバニアの国境にあるシュコダル湖（スクタリ湖とも）近辺からペロイへと移住させた。この家族の子孫は、幾多の苦難を越えながら何世紀にもわたって信仰や風習や言語を守り続け、ずっとペロイに暮らしている。

## アルバニアのセルビア人

アルバニアのセルビア人は、何世紀も前からこの地で暮らしてきた。その証しに、スラブ起源の地名が数多く残っている。主な居住地は北部のシュコダル湖近辺とモンテネグロとの国境地域だが、首都ティラナの南西150キロにある**ハミル村**と**リボフシェ村**にも大勢のセルビア人が住んでいる。人数は、非公式だが100人から2000人とされる。このセルビア人たちは、もともとはアルバニア北部の出身で、20世紀初めにアルバニア第2の都市フィエルの近くへ移り住んだ。

アルバニア人民共和国のエンベル・ホッジャ首相の統治下、セルビアから移民した人々の暮らしは非常に厳しく、その言語も、民族を象徴するものも、一切の使用が禁じられた。現在では、状況はいくらか改善され、最近、セルビアの言語、文化、歴史を教えるセルビア人学校がハミルに開校され、60人の生徒が通っている。

興味深いことに、19世紀には、アルバニア出身のセルビア人であるジョルジェ・ベロビッチ（英語ではジョージ・ベロビッチ、トルコ語ではベロビッチ・パシャ）がオスマン帝国で高い地位に就き、しばらくクレタ島総督を務めたのち、半独立国家であるサモス公国の支配者となっている。

## ルーマニアのセルビア人

　今日のセルビアの北東、ルーマニア領バナトでは、2つの地域にセルビア語の言語島がいくつか存在する。1つ目は**クリスラ・ドゥナリ**または**デフィレウル・ドゥナリ**（セルビア語では**バナツカ・クリスラ**、「バナト峡谷」の意）と呼ばれる地域で、ドナウ川のルーマニア側が含まれる。居住地や川や丘陵の地名の多くがスラブ語を起源としていることから、スラブ人（ほとんどはセルビア人）はこの地で最も古い民族の1つだということがわかる。**スビニツァ**、**ソコル**（セルビア語では**ソコロバツ**。世界的サッカー選手、ミオドラグ・ベロデディチの生まれ故郷である）、**ポジェジェナ**は、バナト峡谷地帯でセルビア人が多数派を占める最後の村だ。スビニツァの人口は約950人で、90%以上がセルビア人だ。

　もう1つの地域はセルビアとの国境から約100キロ、ティミショアラとルゴジュという2つの都市の間にあり、セルビア語で**バナツカ・ツルナ・ゴーラ**（「バナトの黒い山」の意）と呼ばれる。第一次世界大戦が終結し、**オーストリア＝ハンガリー帝国**が崩壊すると、この地域全体がルーマニア領となった。それ以降ワラキアとモルダビアから移住するルーマニア人が増加したため、セルビア人が多数派を占める村は4つを残すのみとなっている。

　バナツカ・ツルナ・ゴーラにあるすべての村のなかで、セルビア人の割合が最も高いのはおそらく**クラロバツ**（セルビア語では**クラリェバツ**）で、200人の住民の80%がセルビア人である。クラロバツの西には**ペトロバセロ**（セルビア語では**ペトロボ・セロ**）、東には**ルカレツ**（セルビア語では**ルカレバツ**）という村がある。ルカレツ／ルカレバツの名が初めて記録に登場するのは1492年、クリストファー・コロンブスがアメリカ大陸に到達した年のことである。この村に特に際立つ建物が1つある。ルーマニア最古のセルビア教区教会とされる聖ゲオルギ教会だ。

ルカレツ（ルカレバツ）の歴史あるセルビア教会。

# 「大いなる泉」の言語（セルビアとブルガリア）

　バルカン地方には特筆すべき村が3つある。ブルガリアの**ゴリャム・イズボル**、セルビアの**ベリキ・イズボル**と**ドゥブリェ**だ。この3つの村をつなぐのは、住人たちが何世紀も使い続けてきた特有の言語である。

　物語は13世紀に始まる。**モンゴル人**の侵攻により、当時のロシアの公国は完全に破壊され、ウラジーミル、モスクワ、キーウ（キエフ）といった大都市も甚大な被害を受けた。キーウ大公国を治めていたゲオルギー・グロージュ公はキーウからブルガリアへと逃れ、ブルガリア皇帝イバン・アセン2世からテテベン近くの土地を与えられて修道院や村をつくった。この地域は当初キーウスキー・イズボルと呼ばれたが、のちにゴリャム・イズボル（ブルガリア語で「大いなる泉」の意）と改称された。

　18世紀半ば、ゴリャム・イズボル村の住人（ゴリャム・イズボル村などを包含する自治体、テテベンにちなんで**テテベンチ**と呼ばれる）の多くが、故郷をあとにして、現在のセルビアとブルガリアの国境に近いザイェチャルへと向かった。彼らはさびれていたストゥパニ村に住み着き、やがてこの村が近隣の村アラピン、イズボルと結びついてベリキ・イズボル（セルビア語で「大いなる泉」の意）村となった。

　18世紀末になると、ベリキ・イズボルの住民のなかから、現在のスビライナツ近くに新しい村をつくろうとする者が現れた。彼らは森に住み着いて、少しずつ切り開きながらどんどん奥深くへと進んでいったため、村の名は「より深い」を意味するドゥブリェになった、と言われている。

　これらの村に住む人々は程度の差こそあれ今も同じ言語を用いているが、この言語はよく、ブルガリア語とセルビア語とマケドニア語が混ざったもの、と描写される。だが、既知の南スラブ語群の言語とはかなり異なるため、「バルカン半島で話されている独立した言語の1つとみなし得る」と考える言語学者も多い。

　今ではザイェチャル市の一部に組み入れられているベリキ・イズボルだが、地理的に孤立した位置にあるため、言語的にも孤立することになり、かなりの住民は今も「**大いなる泉**」の言語を使っている。それに比べると、ドゥブリェ

の状況はあまり芳しくなく、先祖から受け継がれた言語を使う人の数はどんど
ん減少している。だが、これら3つの村は地理的には大きく離れているとは
いえ、住民たちは、お互いの話す言語を難なく理解することができる。

# ボイボディナの言語島（セルビア）

　**ボイボディナ**はセルビア共和国内の自治領である。セルビアの北部を占め、地理上はスレム（またはシルミア）、バチュカ、バナトの3つに分かれる。面積2万1600平方キロ（イスラエルよりやや大きい）の土地に25以上の民族が集まり、200万人が暮らしている。この地域では数十種類の言語が話され、そのうち6言語（**セルビア語**、**ハンガリー語**、**ルーマニア語**、**スロバキア語**、**ルシン語**、**クロアチア語**）が全地域で公用語となっている。地元の行政機関では数多くの言語が使われている。比較的狭い地域でこれほど多くの言語が使われているボイボディナは、言語島というより「言語諸島」だ！

## パンノニア・ルシンの言語島

　**パンノニア・ルシン人**（**ルシン人**）は総勢2万人と、スラブ民族のなかでは比較的小さなグループだ。今日、ルシン人の大半はボイボディナ西部で暮らし、バチュカとスレムにもいくつか居住地がある。ルシン人がボイボディナで暮らすようになったのは、1751年、オーストリアとハンガリーの女帝マリア・テレジアの決定により、現在のウクライナとスロバキアとポーランドの国境周辺に当たる地域から、ルシン人のギリシャ・カトリック教会信徒をバチュカへ移住させることになったのがきっかけである。

　**ルスキ・クルストゥル**（ルシン語では**ルスキ・ケレストゥル**、「ルシン（にある）十字架」の意）は、パンノニア・ルシン人にとって文化的・国家的な中心地である。この村に居住する約5500人のうち85%以上がルシン人だが、村を離れて、主にカナダのサスカチュワン州ノース・バトルフォード市へ移住する人が増えているため、年々人口に占める割合は減っている。ルスキ・クルストゥルからわずか15キロのところにある**ククラ**（ルシン語では**コクル**）でも、大勢のルシン人が暮らしている（人口4600人の半数近くを占める）。

　**ククラ**の小学校では、400人の生徒にルシン語またはセルビア語で授業を行っている。2013年、ククラの人々はルシン人の移住から250年という節目の年を祝った。そのほか、文化や芸術の各種イベントが毎年開催されている。

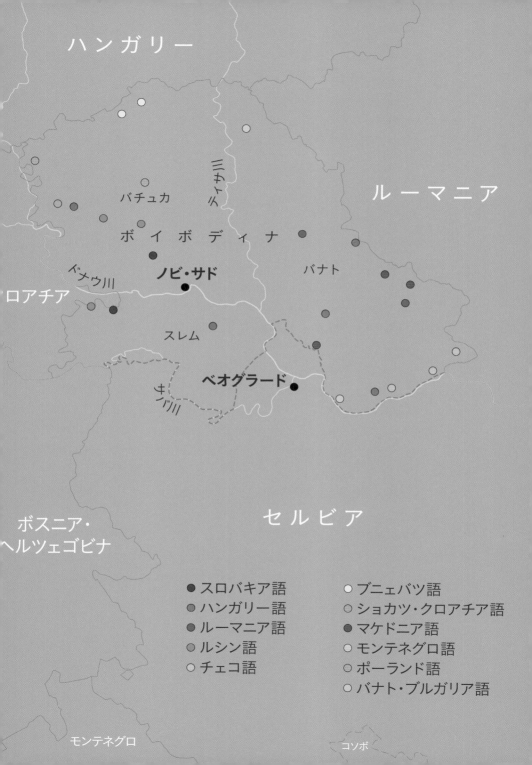

## チェコ語の言語島

　**チェコ人**は西スラブ系の民族で、主にチェコ共和国（チェコ政府は「チェキ
ア」という呼称を提唱している）に住んでいるが、セルビア北部にも少数が暮
らしている。

　住人が 50 人に満たない**チェシュコ・セロ**（セルビア語で「チェコの村」の
意味）は、おそらくボイボディナ最小の村で、セルビア全土で唯一チェコ人が
多数派を占める場所だ。セルビアにあるチェコ人の組織は、チェシュコ・セロ
へ観光客を誘致するため、2007 年以降定期的にパプリカ料理の祭典「パプリ
カシヤーダ」を開催している。

　チェシュコ・セロからそう遠くないルーマニアとの国境に、**クルシュチカ**と
いう村がある。クルシュチカの住人は全部で 860 人だが、そのうちチェコ人
が 4 分の 1 弱、セルビア人が 4 分の 3 近くを占めている。

## マケドニア語の言語島

　セルビアには、ボイボディナと首都ベオグラードを中心に、2 万 2000 人
以上の**マケドニア人**が住んでいる。ボイボディナにある人口 6500 人の**ヤブ
カ**（「リンゴ」の意）は、ベオグラードとの境界近くにある村で、首都の中心
部からわずか 15 キロしか離れていない。マケドニア人が最初に移住してきた
のは第二次世界大戦直後だったが、セルビア人が多数派であることに変わりは
なく、現在ヤブカの人口の 3 分の 1 がマケドニア人、半分がセルビア人だ。マ
ケドニア最大の祝日であるイリンデン（聖イリヤの日）は、ヤブカだけでなく、
ボイボディナのほかのマケドニア人居住地（**プランディシュテ**と**ドゥジネ**）で
も毎年祝われている。これらマケドニア人居住地すべてにおいて、会話でも文
書でも**マケドニア語**の使用が公式に認められている。

# スロバキア語の言語島

**スロバキア人**は、スロバキアでは主としてカトリック教徒、セルビアではプロテスタントである。どちらのグループも、西スラブ語群の1つでボイボディナの6つの公用語に含まれる**スロバキア語**を話す。現在ボイボディナで暮らすスロバキア人の多くは、18世紀から19世紀にかけて、現在のスロバキアとハンガリーの国境に当たる地域から移住してきた人々の子孫である。

**バチュキ・ペトロバツ**（スロバキア語ではバチスキ・ペトロベツ）は、バチュカ地方の南部に位置する人口約7500人の町だ。バチュカ地方のスロバキア人にとって、ここは経済、文化、政治の中心地だ。人口の80%以上がスロバキア人なので、スロバキア人学校やボイボディナ・スロバキア博物館がこの町にあるのも当然と言えるだろう。

ベオグラードから40キロ離れた、バナト南部の町コバチッツァは、スロバキアのナイーブアート（素朴派）の中心地として世界的名声を得ている。ズザナ・ハルポバ、マルティン・ヨナス、ヤン・ソコル、ヤン・グロジックなど、多数の画家を輩出している。

ヤン・グロジック作『コバチッツァの200年』。

## セルビアのポーランド人

　セルビア北部の村**オストイチェボ**には、数百人の**ポーランド人**が住んでいる。彼らの祖先は、ポーランド南部の、チェコ共和国とスロバキアとのトライポイント（三国国境）に近いビスワという町の近辺からやって来た鉱山労働者たちである。19 世紀半ば、鉱山労働者たちはより良い生活を求めて、火薬の原料となる硝石を採掘するオストイチェボ地域（当時はティサセントミクローシュ、すなわち「ティサの聖ニコラウス」という名で知られていた）に移住した。そして、この地域に福音派のキリスト教と、**シレジア語**または**シレジア方言**と呼ばれるポーランド語の方言が持ち込まれた。ボイボディナのポーランド人は、少人数ながらも自分たちの言語を守り続けてきたため、この地の言語には、母国の言語からは消えてしまった古い形が今もしっかり残っている。

オストイチェボのポーランド文化芸術協会のメンバー。2019 年、ビスワにて。

# ゴーラ地域のゴーラ語／ナシンスキ語

**ゴーラ人**はスラブ民族の一派で、イスラム教を信仰している。独自の言語である**ゴーラ語**（同じく**トルラク方言群**に属するほかの言語に近い）を話し、イスラム教を受け入れる以前の風習をいくつか受け継いでいる。

　ゴーラ人のほとんどは、プリズレン南部の**ゴーラ**という地域に暮らしている。この地域には、コソボ共和国\*に属する 18 の村、アルバニアの 9 つの村、北マケドニアの 2 つの村がある。ゴーラ人は約 6 万人存在するとされており（実際は 3 万人未満だとする資料もある）、その 3 分の 1 がゴーラに住み、残り 3 分の 2 は世界各地に離散している。ゴーラ人（Gorani）という単語はスラブ語の gora（「山」の意）に由来し、「山に住む人々」を意味する。彼らが自称として最も多用する**ナシンツィ**（Našinci）は、「われわれの（人々）」を意味する naši というスラブ語にもとづく表現だ。ゴーラ人が自分たちの言語を呼ぶときによく使う名称**ナシンスキ**、すなわち「われわれの（言語）」もここから派生している。この言語は明らかに南スラブ語群に属し、トルコ語とアラビア語（イスラム圏であるため）、そしてアルバニア語（ゴーラが地理的にはア

ルバニアの村々にほぼ囲まれているため）からの借用語が多い。

　現在、周囲の南スラブ諸国すべてにおいて、ゴーラ人を自分の国や民族に引き入れて同化しようとする動きが見られる。アルバニアでも同様の動きが見られるが、北マケドニアでも最新の国勢調査の結果、ゴーラ地域の2つの村に住むゴーラ人のほとんどが「自分はトルコ系である」と申告した。

　オスマン・トルコの影響下で、多くのゴーラ人が18世紀にイスラム教を受け入れた。それでも、聖ゲオルギオスの日や家族の守護聖人の日を祝うなど、今なおキリスト教の風習を守り続けるゴーラ人もいる。

　ゴーラには、慈善目的の取水施設をつくるという古い風習がある。通常この取水施設は故人をしのぶため、あるいは通りかかるすべての人のためにつくられる。かつて水が乏しかった時代に生まれた風習かもしれない。そのような時代、こうした取水施設はたいそう役に立ったことだろう。

＊コソボを独立国として承認しているのは、英国、米国、EU加盟国のほとんど、国連加盟国の半数強である。一方、セルビア、ロシア、中国などコソボを独立国と認めない国も多い。

ゴーラ最大の村レステリツェ（セルビア語ではレステリツァ）近くの取水施設。

# アルバニアとトルコにおける
# ボスニア語の言語島

## アルバニアのボシュニャク人

　19世紀末、圧倒的にカトリックが優勢なオーストリア＝ハンガリー帝国がボスニアとヘルツェゴビナを占領すると、トルコのスルタン（君主）に忠実だったヘルツェゴビナの**ボシュニャク人**の一部は、トルコの地で幸福を求めようと決意した。伝え聞くところによると、たくさんの家族が船に乗り込みトルコを目指したが、アドリア海南部の港町ドゥラスの近くで船が故障してしまった。船の修理を待つ間、ボシュニャク人たちの目に映った川や渓谷は、あとにしてきたヘルツェゴビナのネレトバ川周辺の景色を思い出させた。船の修理にしばらく時間がかかることがわかると、彼らは、ドゥラスと現在のアルバニアの首都ティラナの間にあるその土地に居を定めることにしたという。

　移民したボシュニャク人は**ボラク村**と**コジャス村**を築いた。今でも、彼らの子孫が人口の多数派を占めている。ボラクの村民はほぼ全員ボシュニャク人だが、隣のコジャス村はさまざまな民族で構成されている。現在は、この2つの村が属する自治体全体で7000人のボシュニャク人が暮らしている。彼らがアルバニアに移住してから1世紀半が経つが、ボシュニャク人とアルバニア人が衝突することはほとんどなかった。宗教が同じだったことが主な理由だが、ボシュニャク人が勤勉で正直な人々だと評価されていることも大きい。それにもかかわらず、国内の少数民族としての地位がようやく認められたのは、2017年になってからだった。

## トルコのボシュニャク人

　一方、一部のボシュニャク人は何とかトルコへたどり着くことができた。現在、トルコには祖国のボスニア・ヘルツェゴビナよりはるかに多数のボシュニャク人が住んでいる、と見る向きもある。完全にトルコに同化し、自分はトルコ人だと考えている人も多い。だが、いくつかの村では、ボシュニャク人は今も日常的にスラブ系言語を用い、すべての風習を守り、自分はボシュニャク人だという意識を持ち続けている。残念ながら、学校では**ボスニア語（ボシュニャク語**と呼ばれることもある）の使用が認められず、苗字もトルコらしい響きに変えるよう義務づけられているのがふつうだ。

　**トゥランコイ村**は、マルマラ海沿岸とブルサ市からそう遠くないところにある。年配の住人はほとんどがボスニア語を話すが、現代トルコ語やオスマン・トルコ語からの借用語も多い。一方、若者はだんだんと祖先の言語を使わなくなり、急速にトルコ語へ切り替えつつある。トルコの首都アンカラからわずか30キロの土地に、もう1つボシュニャク人の古い村があり、2000人近いボシュニャク人が暮らしている。**フェブジエ**というこの村は、「パイの日」というイベントで知られる。ボスニアには有名なパイ料理がいくつもあり、「パイの日」は最高のボスニア・パイをつくった人が優勝するコンテストだ。また、イスタンブールのアジア側、黒海の岸からわずか数キロに位置する**イェニコイ村**には、およそ450人のボシュニャク人が住んでいる。ここの名物はおいしい栗のハチミツだ。2つの世界大戦の間にボシュニャク人は**アクシジム村**へ移り住み、今も自分たちの言語すなわちボスニア語を使っている。しかし、村を離れる若者が増え、村に残った者も次第にトルコ語を使うようになってきたため、同化されてしまう恐れはある。

# クロアチア語の言語島

## ルーマニアのクロアチア人

　セメニク・カラシュ峡谷国立公園に近い風光明媚な丘陵地、ルーマニアとセルビアの国境から 20 キロのところに、**カラショバ**（当地のスラブ方言では**カラシェボ**）と**ルパク**の町がある。住民の大多数は自らをクロアチア人とみなし、クロアチア語を使っている。この 2 つの町は、クロアチア人が多数派を占める居住地としては最も西に位置する。20 世紀末になるまで、カラショバとルパクの住民の多くは、民族的アイデンティティーを特に意識することなく、自分たちは**クラショバニ人**（または**カラシェブチ人**）だと考えてきた。クラショバニ人の起源は明らかになっていないが、このコミュニティーの祖先がどこから来たかについては、有力な候補地が 3 つ挙げられている。クロアチアの首都ザグレブからそう遠くないトゥロポリェ地域、ボスニア・ヘルツェゴビナの北西部、そしてセルビアの南東部である。

　カラショバの人々は徐々に標準クロアチア語に切り替えており、古風なトルラク方言は、ゆっくりと、しかし確実に失われようとしている。カラショバとルパクのカトリック司祭はほとんどがクロアチアから派遣された人たちであり、クラショバニの学校に教科書を提供しているのもクロアチアだからである。

# オーストリアとハンガリーのクロアチア人

　15世紀が終わる頃、オスマン帝国から脱出したクロアチア人たちがいた。ハンガリーに渡った彼らが住み着いたのは、**西ハンガリー**と呼ばれる地域だった。ドイツ語を母語とする人々はこの地域を**ブルゲンラント**と呼ぶが、クロアチア語での呼び名は**グラディシチェ**となる。この地名と、現在オーストリアの東端に位置する州の名にちなんで、この南スラブ系の人々は**ブルゲンラント・クロアチア人**と呼ばれるようになった。ブルゲンラントは貧しく比較的孤立した地域だったため、クロアチア人は独自の言語を守ることができたばかりか、近年では発展さえ見せている。この地域の村や町の多くには、今でもスラブ語起源の名前がつけられている。例えば、ウィーン近郊のパルンドルフという村は、スラブ神話の主神ペルーンにちなんで命名されたものだ。入手可能なデータによると、ブルゲンラントでは約2〜3万人が日常的に**ブルゲンラント・クロアチア語**を使っている。これはクロアチア語の一変種として公式に認められている言語だ。

　ブルゲンラント・クロアチア人は、オーストリアとの国境沿いにあるハンガリーの小さな町々にも住んでいる。

　各種のクロアチア語の違いを、『星の王子さま』の一節で比べてみよう。

**標準クロアチア語：**

Ah! mali prinče, tako sam polako počinjao razumijevati tvoj mali melankolični život. Dugo si vremena za razonodu imao samo ljepotu sunčevih zalazaka. To sam doznao ujutro četvrtog dana kada si mi rekao: Vrlo mi se sviđaju zalasci sunca.

**ブルゲンラント・クロアチア語：**

Ah! Mali prinče, tako sam lipo polako razumio tvoj mali, turobni žitak. Dugo vrime je samo lipota zahadjanja sunca bila tvoja jedina zabav. Tu novu pojedinost sam doznao četvrti dan jutro, kada si mi rekao: Ljubim zahadjanja sunca.

**モリーゼ・クロアチア語：**

A! Mali kraljič, ja sa razumija, na mala na votu, naka, tvoj mali život malingonik. Ti s'bi jima sa čuda vrima kana dištracijunu sama ono slako do sutanji. Ja sa znaja ovu malu aš novu stvaru, dòp četar dana jistru, kada ti s'mi reka: Su mi čuda drage sutanja.

## イタリアのクロアチア人

　バルカン半島のスラブ人のなかには、舟でオスマン帝国を出て、長靴のようなイタリア半島の南部へ向かうのが最も安全だと考えた人たちもいた。最初の**スラブ人カトリック教徒**は、15 世紀末にアドリア海沿岸のダルマチアを離れ、ネレトバ渓谷から舟でバーリ市の周辺にたどり着いたと考えられている。1497 年には、ジョイア・デル・コッレという町の近くでほかの臣民たちとともにナポリ王妃イザベッラ・デル・バルツォを出迎え、自分たちの言語でOrao se vijaše nad gradom Smederevom（ワシが 1 羽、スメデレボの町の上を飛んでいった）と歌ったことが知られている。これは記録に残る最古のブガルシュティツァ（かつてダルマチアとコトル湾で人気のあった民衆叙事詩の一種）である。

　一説によると、当時イタリア南部には数千人のスラブ人が暮らしており、15 ほどの町や村に分かれて住んでいた。そのうち 3 つの村は、比較的孤立していたおかげで言語や風習を今に伝えることができた。とはいえ、そこでも住民たちの氏名はほとんどがイタリア化してしまい、人数は減少する一方だ。3 つの村はアドリア海に面した**モリーゼ州**にあることから、そのスラブ方言は**モリーゼ・クロアチア語**と呼ばれている。

　**モリーゼ・クロアチア人**が住む最大の村は**アックアビーバ・コッレクローチェ**（地元のクロアチア方言では**クルーチ**）で、**サン・フェリーチェ・デル・モリーゼ**（同**フィリチ**）と**モンテミトロ**（同**ムンディミタル**）がこれに続く。どの村にもそれぞれ独自の方言がある。現在、3 つの村を合わせて約 2000 人のモリーゼ・クロアチア人がいるが、母語を話す人はその半数にすぎない。

　モリーゼのスラブ人は長年の間、実質的にはアペニン半島（イタリア半島）に移住した頃から 20 世紀初頭まで、自分たちの民族や言語を表す名称をほとんど意識していなかった。自分たちの言語は**ナ・ナショ**（「われわれの言語で」の意）と呼び、自分たちを表す特別な呼び名は持っていないが、古いイタリア語で「スラブ人」を意味する**シュキャブナ**という言葉を使うことが多い。

クルーチ村の五月祭。5月と春の訪れを祝う民衆の祭りだ。

# イタリアのレージア方言

　スロベニアやイタリア出身の一般的なスロベニア人は、スロベニアとの国境からわずか数キロのところにある小さな谷、**レージア渓谷**に住む同胞の言語を理解するのに、かなり苦労するだろう。この谷の住民は 2000 人足らずで、**スロベニア語**の希少な方言である**レージア方言**——彼らの呼び方によれば**ロザヤンスキ・ランガチュ**を話す。いくつか珍しい特色を持つ方言で、スロベニア語のほかの方言とは大きく異なる。古い語法がたくさん保持され、スロベニア語にはない文字が数多く使われている。例えば、ウムラウトのついた母音や「ć」の文字、それに、スラブ系の言語ではほとんど使われない「w」の文字などだ。一部の言語学者は、「w」が使われているのは、このスラブ系言語が**ラディン語**などの**レト・ロマンス語群**から大きな影響を受けている証拠だと指摘する。**ロマンス語**起源の借用語が多いことも、この主張を裏づける根拠となっている。こうした理由から、レージア方言の話者の多くが、「この言語は独立した言語であって、単なるスロベニア語の方言ではない」と考えている。レージア渓谷の住人たちは独特の話し方に加え、奇想天外な物語、エネルギッシュな舞踊、どことなくケルトの旋律を思わせる民族音楽でも知られる。
　暦の月を表す言葉は、レージア方言と標準スロベニア語の違いを示す好例だ。

| レージア方言 | スロベニア語 | 英語 |
|---|---|---|
| ĞANAR | JANUAR | JANUARY |
| FAVRAR | FEBRUAR | FEBRUARY |
| MÄRČ | MAREC | MARCH |
| AVRÏL | APRIL | APRIL |
| MÄJ | MAJ | MAY |
| JONJ | JUNIJ | JUNE |
| ŽUŽLUDÖR | JULIJ | JULY |
| AVOŠT | AVGUST | AUGUST |
| SETEMBAR | SEPTEMBER | SEPTEMBER |
| OTOBAR | OKTOBER | OCTOBER |
| NOVEMBAR | NOVEMBER | NOVEMBER |
| DIČEMBAR | DECEMBER | DECEMBER |

イタリアのレージア渓谷の民族衣装。華やかな帽子が特徴だ。

# ソルブ語

　**ルサティア**（低地ソルブ語および高地ソルブ語では**ウジツァ**、ドイツ語では**ラウジッツ**）は、ポーランドとチェコとドイツの国境にある地域だ。ドイツ領に含まれる部分が最も広く、そこには**ソルブ人**または**ベンド人**と呼ばれる人たちがおよそ6万人暮らしている。ソルブ人は西スラブ系の民族で、言語学的にはチェコ語に近い**高地ソルブ語**（上ソルブ語とも）の話者と、ポーランド語に近い**低地ソルブ語**（下ソルブ語とも）の話者に分けられる。この2つのグループは何世紀もの間、深い森と沼地で隔てられていたため、両者の言語の違いは大きくなっていった。

　1990年、東西ドイツが統一を果たした。その結果ソルブ人の地位は向上したが、彼らの最大の願いはまだ実現していない。それは、ルサティアがドイツ連邦を構成する州の1つとなることである。

　現在は、ソルブ人が多数派を占める小さな地域がいくつかある一方、より大きな地域でソルブ人の占める割合はずっと少ない。アッパー・ルサティア（ルサティアの南部）の中心地**バウツェン**（高地ソルブ語では**ブディシン**）に住むソルブ人は、現在人口の10%に満たないが、このスラブ系住民の民族的および文化的な組織は、ほぼすべてこの町に集まっている。

２つのソルブ語の標準的な形の違いは、『星の王子さま』の一節を見ればわかる。

**高地ソルブ語：**

*Ach, mały princo, poněčim sym twoje małe ćežkomyslne žiwjenčko zrozumił ... Dołho njejsy hinašeho rozwjeselenja měł, hač lubozne chowanje słónca. To zhonich štwórty dźeń rano, jako sy mi prajił: Chowanje słónca přewšo lubuju.*

**低地ソルブ語：**

*Och, mały princ! Pózłažka som rozměł twójo melancholiske žywjenje. Dotychměst sy rozwjaselenje jano měł nad chowanim słyńca. Som to akle na stwórtem dnju žajtša zgónił, ako sy ku mnjo gronił: Ja lubuju to wujźenje słyńca.*

　19 世紀半ば、オーストラリアのアデレードから 30 キロ北にある**バロッサ渓谷**に約 2000 人のソルブ人が移り住んだ。ここではもうソルブ語は使われていないが、先祖から受け継いだ伝統を守り続けるグループもある。同じ頃、約 600 人のソルブ人が米国テキサス州の中央部に移住し、**サービン**という町を築いている。この町にはテキサス・ウェンディッシュ・ヘリテージ・ミュージアムがある。「ローンスター・ステート」ことテキサス州（訳注：1 つ星をデザインした州旗から、そう呼ばれる）の真ん中に、ソルブ語を話す人がまだ何人か残っている可能性はある。

伝統的な騎馬パレードで
イースターを祝うソルブ人たち。

# さらにいくつかのスラブ語派の言語島

## トルコのポーランド人

　19世紀、ポーランドの地はロシア、オーストリア、プロイセンの3国によって分割されていた。ポーランド人による蜂起は1831年に鎮圧され、その後、国外に逃れた**ポーランド人**の活動拠点がパリに1つ、トルコに1つつくられた。

　トルコにおけるポーランド人の拠点となったのは、ボスポラス海峡のアジア側、イスタンブールの中心から30キロほど離れた場所である。1842年、この地に村ができ、トルコ人はそこを**ポロネズキョイ**（「ポーランドの村」の意）と名づけ、ポーランドからの移民は**アダムポール**と呼んだ。アダムポールには今もポーランドのカトリック教会があり、ポーランド移民の子孫たちが祖国の風習や祝祭日や舞踊を守り伝えている。約400人の住民のうちポーランド人は3分の1を占めるが、現在も家族や友人とのコミュニケーションで日常的に**ポーランド語**を使う人は、わずか50人ほどしかいない。

## カシューブ語（ポーランド）

　**カシューブ語**は、ポーランド沿岸部の、ビスワ川とオーデル川の下流に挟まれた地域を中心に使われている。**カシューブ人**が**カシューブ**と呼ぶ地域だ。この言語を知っている人はおよそ20万人だが、日常的に使っているのはその半

数を超えるにすぎないと見られる。ポーランドでは 2005 年以降、カシューブ語が少数民族の言語として認められた。言語学的調査の結果、カシューブ語は、消滅してしまった**ポメラニア語**の流れをくむ言語のなかで唯一、今でも使われる言語であることがわかった。ポメラニア語は、現在のポーランドのバルト海沿岸に住んでいた西スラブ民族が話していた言語である。

　19 世紀半ばには多数のカシューブ人とポーランド人がカナダに移住し、既存の居住地に入植したり、新たな居住地を築いたりした。そうした居住地の 1 つがオンタリオ州の**ウィルノ**である。この地域ではカシューブとポーランドの文化や風習が今もなお息づいていて、ウィルノ・チキン・サパーやカシューブ・デー・フェスティバルといった民族的な行事は、カシューブやポーランドをルーツとしない人も参加する人気のイベントとなっている。

　**スロビンツ**語（**スウォビンスコ・モバ**）は系統的に最もカシューブ語（またはその方言）と近い言語で、20 世紀初頭まで**スロビンツ人**が使っていた。スロビンツ人は、通常自分たちを**ウェブスキ・カシュービ**と呼んでいた。「ウェブスキ」は、ポーランド北部を流れるウェバ川に由来する。今なお数十人のスロビンツ人が**クルキ村**（スロビンツ語では**クラヒ**、カシューブ語では**クルチ**）に住んでいるが、祖先の言語から受け継いでいるのはわずかなフレーズのみである。クルキにはスロビンツ野外博物館があり、その近くのスウォビンスキ国立公園では魅力的な移動砂丘を見ることができる。

　1920 年にパリで締結されたスバールバル条約により、ノルウェーが**スバールバル諸島**を領有することが認められたが、条約加盟国のすべて（当初は 14 カ国、現在は 46 カ国）が漁業、狩猟、鉱物資源の採掘を行う権利を保障された。現在この権利を行使しているのはノルウェーとロシアのみである。スバールバルは完全な非武装地帯で、加盟国の国民であれば誰であろうとビザも労働許可証も必要ない。

　**バレンツブルク**の町はスピッツベルゲン島にある鉱山町で、ロシア人とウクライナ人が約 450 人暮らしている。最盛期には、町の人口は約 1000 人に達した。バレンツブルクにほど近い**ピラミーデン**は、かつてソビエト連邦の鉱山町だったが、1998 年に石炭の採掘が中止されると同時に町も閉鎖され、ゴーストタウンとなった。スバールバルの寒冷な気候のため数多くの建物はほぼそのまま残されており、この地域を通過する船にとって、ピラミーデンは人気の観光スポットだ。現在この村では少数の**ロシア人**が暮らし、ホテルの経営と観光客の受け入れを行っている。

　17 世紀半ば、モスクワ総主教ニーコンがロシア正教会の改革を始めると、信者の一部はこれに反発して古い信仰を重んじる宗派をつくり、**古儀式派**と呼ばれるようになった。古儀式派の多くが辺境のシベリアの地へ、それから中国

へと逃れ、その後ブラジルのサンパウロへ、さらにしばらくすると、米国オレゴン州を経てアラスカへと北上した。1968 年、彼らはアンカレッジの南 150 キロに位置するキナイペニンシュラ郡にいくつかの居住地をつくった。これらの村（**ニコラエフスク**、**ボズネセンカ**、**ラズドルナ**、**カチェマックセロ**）には、現在もロシア人が多く、ロシア正教会やロシア料理のレストランがある。住民の多くはまだロシア語を話すが、若い世代においてはそうはいかないようだ。

　ロシアの古儀式派の別のグループは、ドナウ・デルタへの避難を決意した。その地で彼らは**リポバン人**（おそらく、「菩提樹」を意味するスラブ語に由来する）と呼ばれている。ドナウ・デルタ周辺には、リポバン人が暮らす村がいくつかある。その 1 つ**カルカリウ**では、住民 2500 人の 90% がリポバン人だ。ウクライナにおけるリポバン人の主な居住地は**ビルコベ**（人口 8000 人、うち 70% がリポバン人）で、この村は多くの運河が走り、しばしば通路として使われていることから「ウクライナのベネチア」という異名を持つ。リポバン人の話すロシア語には、17 〜 18 世紀のロシア語の特徴が数多く残っている。

　ロシアのほかの宗派では、**ロシア帝国期**に辺境へ追いやられたグループもあった。その 1 つがいわゆる**霊的キリスト教**で、ロシア当局により 19 世紀半ばにアルメニアへ追放され、かの地で**フィオレトボ**（人口 1000 人）と**レルモントボ**（人口 800 人）という 2 つの村に住むようになった。

スバールバルのバレンツブルクにあるロシア正教会。

## ボスニア・ヘルツェゴビナ、スルプスカ共和国のウクライナ人

　オーストリア＝ハンガリー帝国が 1878 年にボスニアを占領すると、ガリ
ツィア（ウクライナ西部とポーランド南東部）地域出身の**ウクライナ人**たちは、
ボスニア・ヘルツェゴビナ北部に住むようになった。現在、ウクライナ人は主
にスルプスカ共和国（連邦国家ボスニア・ヘルツェゴビナを構成する共和国の
1 つ）の北部に暮らし、いくつかの小さな町では多数派となっている。人数こ
そ少ないものの、当地のウクライナ人は母国の言語や風習、文化を受け継いで
いる。ボスニアでの主な居住地は**デベティナ村**で、今も 100 人ほどのウクラ
イナ人が暮らしている。この村では、やや古い形の**ウクライナ語**が今も使われ、
村の教会は旧**ユーゴスラビア**のウクライナ人すべてにとっての巡礼の地となっ
ている。教会の近くの森には、村の名の由来となった 9 つの大きな岩がある
（devet は 9 を表す）。

# バルト語派の言語島

　**バルト語派**は、インド・ヨーロッパ語族の系統樹のなかでバルト・スラブ語派の枝に属している。この語派は**西バルト語群**（今ではすべて消滅してしまった）と**東バルト語群**に分かれ、そのうち今も残るのが**ラトビア語**と**リトアニア語**の２つ、およびその変種である。バルト語派は非常に保守的な言語で、特にリトアニア語は、今も使われているインド・ヨーロッパ語族の言語のなかで最も保守的な言語とみなされている。これはつまり、リトアニア語には、はるか昔に失われてしまったインド・ヨーロッパ祖語の要素が多く残っていると言い換えられよう。**サモギティア語**（サモギティア語では**ジェマイティウ・カルバ**）は東バルト語群の１つ、またはリトアニア語の方言で、リトアニアの西の端にある**サモギティア**に暮らす数十万人が使っている。**クルシュー語**（クルシスク・バルオド）はラトビア方言の１つだが、今はリトアニアとロシアにまたがる**クルシュー砂州**に暮らす 10 人程度しか話していない。

# ラトガリア語

　**ラトガリア語**は東バルト語群の1つで、話者は約16万5000人いる。その
ほとんどはラトビアの東の端にある**ラトガレ**という地域に住んでいる。17世
紀のスウェーデン・ポーランド戦争ののち、（旧）ラトビア人が住んでいたこ
の地域は国境で分断され、ラトガレはポーランド・リトアニア共和国の統治下
に置かれた。ラトビアの残りの地域はバルト・ドイツ人に支配されることになっ
た。このように分断された状態は数百年続き、その影響で、ラトガリア語とラ
トビア語は別々の発展を遂げた。

　現在、ラトガリア語は公用語としては使われていないが、書き言葉として、
そしてラトビア語の歴史上の一変種として保護されている。ソビエト連邦から
の独立後、ラトガリア語はメディアや音楽で使われているほか、ラトガレでは
教育活動も部分的に行われている。「ラトガレの心臓」と呼ばれる**レーゼクネ
市**には、ラトビア神話の豊穣の女神、マーラの像がある。この記念碑には「ラ
トビアのために団結を」という意味の銘が記され、300年にわたる分断の末
にラトガレがラトビアのほかの地域と統一されたことを象徴している。

　19世紀末期から20世紀初頭にかけて、2万人ないし5万人のラトガレ人
がシベリアに移住した。1990年代初めにソビエト連邦が崩壊したときも、多
くの人が「タイガの小ラトビア」と呼ばれる**ボブロフカ**や、**アチンスク**、**バラ**

レーゼクネにある「ラトガレのマーラ」の記念碑。

ビンスクなど、住み慣れたシベリアの地に留まることを決めた。彼らはみな、今でも頑ななまでに民族衣装や伝統的な食事を守り、古くから伝わる風習や祭日を大切にしている。教会では司祭たちがラトガリア語で礼拝を執り行う。

　『星の王子さま』の一節を見れば、ラトガリア語とラトビア語の違いがわかる。

**ラトガリア語：**

*Ak, Mozais priņci! Moz pa mozam es suoču saprast tovu šaurū, biedeigū dzeivi. Cīš garu laiku tova vīneiguo prīca ir bejuse saulis rīta vāruošona. Itū seikumeņu es atkluoju catūrtuos dīnys reitā, kod tu maņ saceji: Maņ pateik, kai rīt saule.*

**ラトビア語：**

*Ai, mazo princi, tikai pamazām es sāku saprast tavu skumjo dzīvi! Ilgu laiku tev nebija citas izklaidēšanās kā vienīgi saulrietu skaistums. Šo jauno sīkumu uzzināju ceturtās dienas rītā, kad tu man teici: Man ļoti patīk saulrieti.*

# ゲルマン語派の言語島
## 英語の言語島

　5世紀半ば、**ケルト系ブリトン人**の王が、ピクト人やスコット人との戦いでゲルマン民族の**アングル人**、**ジュート人**、**サクソン人**に支援を求めた。それが現代文明で最も影響力を持つ言語——すなわち**英語**の基盤を築くことになるとは、王自身、夢にも思っていなかっただろう。アングル人（現在のドイツ北岸にあるアンゲルン半島に由来する名称）こそが、**イングリッシュ**と**イングランド**という言葉の由来となった民族である。それからおよそ5世紀ののち、その国は北フランスからやって来た**ノルマン人**に征服され、新しい公用語が持ち込まれた。

　その結果、アングル人、ジュート人、サクソン人が話していた**ゲルマン系**の言語が混ざり合い、さらにロマンス系ノルマン人、ゲルマン民族と手を組んだケルト系ブリトン人、ゲルマン系**フラマン人**の言語の影響が加わった。そもそもノルマン人自体が、**バイキング**、**フランク人**、**ガロ・ロマンス人**の交流によって生まれた民族だ。こうしたさまざまな要素をすべて受け継いだ言語が英語であり、今では70近い国の公用語となっている。おそらく歴史上最も広く普及した言語であり、第1言語として英語を話す人は約4億人にのぼる。それでも

なお世界には、英語がほかの言語に取り囲まれて言語島となっている場所がいくつかある。

　**マルタ共和国**は地中海中央部に浮かぶ島国だ。広さについては世界で 10 番目に小さな国で、316 平方キロの国土に 55 万人が暮らしている。**マルタ語**はマルタの公用語にして国家語である。マルタ語の直接の祖先はアラビア語のシチリア方言で、9 世紀半ばから 11 世紀末までシチリア島とマルタ島を支配していたイスラム教国家、**シチリア首長国**で日常語として用いられていた。1964 年、英国からの独立宣言後にマルタ語と英語が公用語とされたが、マルタ語のほうが若干優勢である。

　政府の公的書類はふつう英語とマルタ語の両方で記されるが、それにより曖昧さが生じた場合は、マルタ語で書かれた内容が優先されるようマルタの法律で定められている。初等教育の大半は英語で行われ、中等および高等教育はほぼ英語だけで行われる。マルタ英語には**イタリア語**の影響が強く見られ、イタリア式の非常に特徴的なアクセントで発音される語が多い。

マルタの街角では、英国でおなじみの赤い電話ボックスが今も見られる。

ヨーロッパ最南端の**ジブラルタル**は、小さいながらも戦略的に重要な地域だ。スペイン本土と地続きの半島ではあるが、1713 年以来英国の海外領土であり、スペインの歴代政府のほぼすべてが、この地の返還を要求してきた。

　人口 3 万人強のジブラルタルは、過去 300 年間に英国人、アンダルシアのスペイン人、ジェノバ人をはじめとするイタリア人、ポルトガル人、マルタ人などが入り混じるようにして形成された国だ。そのため、**ジャニート語**または**ヤニート語**と呼ばれる独自の言語も生まれた。ジャニート語は**スペイン語のアンダルシア方言**を基盤とし、英語と**リグリア語（ジェノバ語）**の影響を強く受けている。ただし、ジブラルタルの公用語は今も英語である。国民は大学までずっと英語を習い、行政機関では英語が唯一の公用語として使われている。

　**サマナ英語**はアメリカ英語の方言で、スペイン語圏であるドミニカ共和国の**サマナ半島**に暮らす少数の年配者が使っている。彼らは**サマナ・アメリカ人**と呼ばれるアフリカ系アメリカ人で、19 世紀前半に当地の行政当局の招きで米国北東部から移ってきた人々の子孫だ。この移住には問題もあった。新たにやって来た人々は英語を話すプロテスタント、それ以前からの住人はスペイン語を話すカトリックと、文化も言語も宗教も大きく異なっていたからである。

　20 世紀半ばには約 8000 人のサマナ・アメリカ人が存在し、現在サマナ州の人口の 80% がアフリカ系アメリカ人をルーツに持つ。それでも、サマナ英語を流暢に話す人は、年長者の間でもなかなか見つけにくくなっている。

# スコットランド語

**スコットランド語**は**西ゲルマン語群**に属し、今日では**スコットランド**と**アイルランド**の数カ所で話されている。今から 1000 年前、スコットランド南部では**スコットランド・ゲール語**に代わり徐々に英語の**北イングランド方言**が使われ始めた。その後の数百年で、スコットランドの民衆や作家や王族たちにますます北イングランド方言が広まり、スコットランド語と呼ばれるようになった。だが、スコットランドが主権を失い、すべてにおいてイングランドの支配が強まると、次第に英語が優勢となり、「スコットランド語の話者は教育水準が低く、英語を知らない」という偏見まで生まれた。

幸いそうした時代は過ぎ去り、今日では、英語とスコットランド語は姉妹語として扱われることが多い。そしてスコットランドにおけるゲルマン系言語は、一方の端を標準英語、反対側の端をスコットランド語とする 1 つの言語連続体とみなされている。スコットランド語は先住民の地方言語と位置づけられ、スコットランドでは数多くの学校がこの言語による授業を行っている。

16 世紀半ば、アイルランド北部にもスコットランド語の話者がいて、その言語は**アルスター・スコットランド語**と呼ばれるようになった。スコットランドのスコットランド語は**ララン**（「低地スコットランド」を意味する用語に由

来する。**ケルト系**の「高地スコットランド」と対になる語）と呼ばれること
が多く、アイルランドで話されている形は「アルスター」＋「ララン」で**アラ
ン語**とも呼ばれている。現在、アルスター・スコットランド語は**北アイルラン
ド**北部のほか、アイルランド共和国でも（主に**ドニゴール県**の東部で）話され
ている。アイルランド島には、アルスター・スコットランド語の話者が 3 万
5000 人から 10 万人いると推定されている。

　スコットランド語と英語の違いを、『星の王子さま』の一節で確認してみよう。

**スコットランド語：**

*Ah! Prince-bairnie, that wes hou I cam
tae unnerstaun, a bittie at a time, your
dowie wee life. For mony a day ye hed
naethin tae divert ye but the lown o the
doungangs. I lairnt this new detail on the
mornin o the fowert day, whan ye said
tae me: I'm awfy fond o doungangs.*

**英語：**

*Oh, little prince! Bit by bit I came to
understand the secrets of your sad little
life. For a long time you had found your
only entertainment in the quiet pleasure
of looking at the sunset. I learnt that new
detail on the morning of the fourth day,
when you said to me: I am very fond of
sunsets.*

北アイルランドの省庁の表示。英
語、アイルランド語、アルスター・
スコットランド語の 3 カ国語で書
かれている。

# スウェーデンの言語島

## エルブダーレン語

　スカンディナビアは全体的に人口密度が低く、孤立した居住地が多いため、さまざまな方言が発達することとなり、互いの言語を理解するのが難しいという問題もしばしば起こる。なかでも珍しい方言が**エルブダーレン語**（スウェーデン語では**エルブダルスカ**、エルブダーレン語では**エブダルスク**）だ。ひっそりと話されているため、あまり知られていないこの**スウェーデン語**の方言は、実際には別個の言語であると考える言語学者が増えている。確かに、平均的なスウェーデン人がエルブダーレン語を読んだり聞いたりしても、理解するのは非常に難しい。

　この言語はスカンディナビア語群のなかでおそらく最も古い形をとどめている。エルブダーレン語は、8世紀末には既に、すべてのスカンディナビア語群の祖語である**古ノルド語**から分かれたと考えられている。古ノルド語が発展して**古西ノルド語**、**古東ノルド語**、**古ゴットランド語**に分かれたのと同じ頃だ。
　現在この言語を話すのは、スウェーデン中部の森林地帯にある孤立した町**エルブダーレン**に住む人々で、全住民 7000 人の半数にも満たない。ラジオとテレビの出現とともに、話者の数は急激に変化した。若者たちがどんどんエル

ブダーレン語を使わなくなり、華やかな都市やエンターテインメント産業で使われるスウェーデン語に切り替えたのである。だが 1980 年代後半になると、事態は好転し始める。真の突破口となったのは、2005 年にエルブダーレン語審議会が正書法を 1 つに定めたことだ。おかげで、エルブダーレン語の本を印刷するのが楽になった。

　2015 年、著名なモデルのソフィア・ヘルクビストが、スウェーデンの王位継承順位第 4 位のカール・フィリップ王子と結婚した。これはエルブダーレン語にとって非常に重要な意味を持つ出来事だった。ソフィアの祖母がエルブダーレンの出身で、ソフィア自身も幼少期をよくこの町で過ごしたからである。最初の大きな恩恵は、2019 年末にもたらされた。ソフィア妃が、エルブダーレン語の幼稚園をエルブダーレンに開設したのだ。それはこの希少言語を話す人々の基盤を拡大するのに重要な一歩となった。

スウェーデン語とエルブダーレン語が併記されたエルブダーレンの標識。

『星の王子さま』の力を借りて、標準スウェーデン語とエルブダーレン語を比べてみよう。

**標準スウェーデン語：**

*Min lille prins, så småningom kom jag underfund med hur dystert ditt liv var! Långa tider hade du ingen annan förströelse än underbara solnedgångar. Det förstod jag den fjärde dagen på morgonen, då du anförtrodde mig: Jag tycker så mycket om solnedgångar.*

**エルブダーレン語：**

*Undå för undå fuor ig föstå ur launggsamt du add eð, Lisslprinsn menn. Laindj i seð add it du noð eller uonå dig å eld kuogå å grannsuolniðgaunggą. Eð föstuoð ig um morgun fiuord da'n, mes du lit að mig: Ig tyttjer so mitjið um suolniðgaunggą.*

## ゴットランド語

バルト海に浮かぶ**ゴットランド島**はスウェーデン最大の島（実際には群島）で、面積は 3200 平方キロ近く、人口は 6 万人弱である。本島の南部と、北隣の小さな島、**フォーレ島**に住む約 2000 人が**ゴットランド語**を話す。

ゴットランド語はスウェーデン語と系統関係にあるが、違いが非常に大きいため、平均的なスウェーデン人はゴットランド語を聞いてもほとんど意味がわからないだろう。

一部の言語学者の説によると、ゴットランド語はかつて使われていた**東ゲルマン語群のゴート語**（東ゲルマン語群の枝は消滅してしまった）を今に伝える最後の言語であり、19 世紀を迎える頃に消滅した**クリミア・ゴート語**をはじめ、ゴート語がほとんど消滅したあとも、数世紀にわたり、かろうじて使われ続けたのだという。

# ヨーロッパにおけるゲルマン語派の言語島

　ドイツ語は西ゲルマン語群に属する言語で、主に中央ヨーロッパの広い範囲で使われている。母語話者は約1億人、欧州連合（EU）内で最も多く話されている言語だ。話者の数から考えれば、数多くの方言が存在するのは驚くに当たらないし、ヨーロッパ各地、さらに世界各地にドイツ語の言語島があることも何ら不思議はない。

# ゴットシェー語

　**ゴットシェー語**は、ドイツ語系では最古の、そして（今日では）最小の言語島の1つだ。当初は、現在の**コチェービエ**（スロベニア南部の町）に当たる地域にあった。最初の**ゴットシェー人**は14世紀半ばにチロルとケルンテン（現在はオーストリアの連邦州、当時は**神聖ローマ帝国**の領邦）からこの地に移り、600年の間、独自の言語や風習やアイデンティティーを守り続けた。

　第二次世界大戦後、新たに社会主義国となったユーゴスラビアは、ゴットシェー人を含むドイツ人をほぼ全員追放した。現在、ゴットシェー人のほとんどは米国の**ニューヨーク**に暮らしている。ゴットシェー語と標準ドイツ語は、600年間それぞれに変化した結果、まったく異なる言語となった。基本的な数詞を比べてみると、その違いがわかるだろう。

| | 1 | 2 | 3 | 4 | 5 | 6 | 7 | 8 | 9 | 10 |
|---|---|---|---|---|---|---|---|---|---|---|
| **ゴットシェー語** | uains | tsboai | drai | viər | vemf | žekš | žĩbm | oχt | nain | tsēhŋ |
| **ドイツ語** | eins | zwei | drei | vier | fünf | sechs | sieben | acht | neun | zehn |

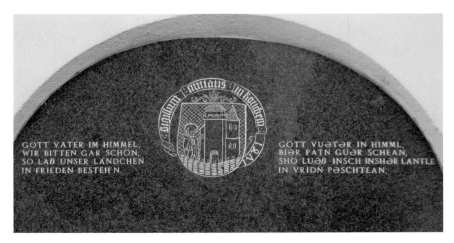

スロベニア、コチェービエの聖墳墓礼拝堂に刻まれたドイツ語（左）とゴットシェー語の銘。

# ドナウ・シュバーベン語

　**ドナウ・シュバーベン人**はドナウ川周辺地域に住む（または住んでいた）ド
イツ語話者の大きなグループである。この地域への移住が最も盛んだったのは、
17 世紀から 18 世紀のことだ。当時のオーストリア＝ハンガリー帝国が、弱体
化したオスマン帝国から奪った土地に住むよう、中央ヨーロッパ各地のドイツ
人に呼びかけたのだ。第二次世界大戦後、ドナウ・シュバーベン人のほとんど
は、ユーゴスラビア、ルーマニア、ハンガリーから追放された。

　**バナト・シュバーベン人**はドナウ・シュバーベン人に属する 1 グループで、
現在のルーマニアとセルビアにまたがる**バナト**という地域に住んでいた。今も
その地で暮らすのはわずか数千人で、オーストリアの首都**ウィーン**へ移住した
人が最も多い。米国の**ニューヨーク**、**デトロイト**、**シンシナティ**へ渡った人た
ちもいる。バナト・シュバーベン人として最も知名度の高い人物は、水泳の五
輪チャンピオンで、映画のターザン役でも有名なジョニー・ワイズミュラーだ
ろう。元の名前はヤノシュまたはヨハン・バイスミュラーという。彼の生誕地
として、バナトの 2 つの居住地が候補に挙げられている。1 つ目はフライドル
フ（ハンガリー語ではサバドファルまたはサバドファルバ）だ。現在はルーマ
ニアのティミショアラの一部であるこの地で、ジョニーは生後 3 日目に洗礼
を受けている。もう 1 つの候補地パルダニ（現在はセルビアのメザ）は、ワイ
ズミュラー家が米国へ移住した際に出身地として申告した場所だ。

　**サトゥ・マーレ・シュバーベン語**または**サトゥマール・シュバーベン語**（地
元の方言では**シュバービッシュ**）はドナウ・シュバーベン語の方言で、ルーマ
ニアの、ハンガリーとウクライナとの国境付近にある**サトゥ・マーレ**という地
域に移住したドイツ人が話している言葉だ。入手可能なデータによれば、現在
この方言を話すのはわずか 200 人だという。

## カルパティア・ドイツ語

　現在、**カルパティア・ドイツ人**という用語は、民族的および言語的にドイツをルーツとし、**スロバキア**とウクライナの**カルパティア・ルテニア**に住む人々を指すのがふつうだ。カルパティア・ドイツ人がこの地域に住むようになったのは、主に 13 世紀半ばのモンゴル侵攻後である。カルパチア山脈とその周辺には数多くのドイツ人居住地があったが、ドイツ語が話されている主要な地域からは孤立していた。そのため、やがて古い形をとどめた珍しい方言が各地でそれぞれ独自に変化したが、現在はそのほとんどが消滅の危機にある。

　**ツィプス・ドイツ語**（ドイツ語では**ツィプサリッシュ**または**ツィプサードイチュ**）は、現在のスロバキアにある**高地ツィプス**（スロバキア語では**スピシュ**）および**低地ツィプス**に住むドイツ人の間で生まれた方言だ。スロバキアの南東部にある**メッツェフ**（ドイツ語ではメッツェンザイフェン）は 700 年近くの間ドイツの文化と言語の中心地だった町で、**マンタク**というドイツ語の方言が発達した場所でもある。独立国となったスロバキアの第 2 代大統領ルドルフ・シュステル（在任：1999 ～ 2004 年）は、メッツェフ出身のカルパティア・ドイツ人だ。

　ウクライナのカルパティア・ルテニアにも、ドイツ語話者が住む村や町が多くあった。**ニメツカ・モクラ**（ドイツ語では**ドイチュ・モクラ**）は、1775 年に、現在のオーストリアのオーバーエスターライヒ州にあるザルツカンマーグート地方（現地の方言ではゾイツカウマグアート）出身の木こりと岩塩採掘者およびその家族からなる 100 人ほどの集団によってつくられた村だ。今日、この地域で、昔から伝わる言語を使う場面があるのは年配の 300 人だけである。興味深いことに、この人々は標準ドイツ語を習ったことがないので、彼らと会話ができるとしたらゾイツカウマグアート地域の古い方言を知っているオーストリア人だけだろう。

2つの言語で記されたウクライナのウェルカム・サイン。

## イタリアの上部ドイツ語方言

　**上部ドイツ語**は、**アレマン方言**と**バイエルン方言**からなる。

　**バリス語**は最高地アレマン語の方言の1つで、スイスのドイツ語話者約450万人と、バリス人約1万人が使っている。バリス語とは、リヒテンシュタイン、スイス——南部のバレー、ティチーノ、グラウビュンデン（グリソンとも）の各州——と、オーストリアのフォアアールベルク州、さらにイタリアの最北端にあるモンテローザ山群周辺で話されている各種の方言群を指す。バリス語の歴史は、5世紀に**アレマン人**（**スエビ**とも）たちが、ローヌ川上流の渓谷、おおまかには現在のバレー州に当たる地域を占領するようになったときに始まる。12世紀から13世紀にかけて、彼らの子孫はアルプスを取り巻く地域に広がっていった。現在、**イッシム**という町で話されているバリス語の方言、**トイチュ**は、北イタリアのほかの2つの都市、**グレッソネイ・サン・ジャン**と**グレッソネイ・ラ・トリニテ**で話されている**ティッチュ方言**とは大きく異なるので、それぞれの言語の話者同士はほとんどコミュニケーションできない。

　**バイエルン・オーストリア語**（**バイエルン語**ということもある。バイエルン語では**ボアリッシュ**）は西ゲルマン語群の言語で、オーストリアのほぼ全域とドイツのバイエルン州で使われている。イタリア北部のアルプスの谷間にある人里離れた村のいくつかでは、バイエルン語の古い形をとどめた方言が話されている。

　北イタリアの**ベルスントル渓谷**（イタリア語では**フェルシーナ渓谷**）は、**バッレ・デイ・モケーニ**（「モケーノたちの谷」の意）という名でも知られている。この別名は、この地に住みバイエルン語の孤立した方言を話すドイツ系の住民、**モケーノ**に由来する。この谷に人が住むようになったのは14世紀のことで、現在**モケーニ語**の話者は約1600人である。彼らは「する」を表すmochenという動詞（標準ドイツ語ではmachen）をよく使っていたため、近隣のイタリア人がモケーノと名づけたという。フィエロッツォ（モケーニ語ではブラロッツ）、フラッシロンゴ（同ガレー）、パル・デル・フェルシーナ（同パレ・アン・ベルスントル）の3つの自治体では、モケーニ語が多数派を占める言語となっている。モケーニ語はトレント自治県の法律により保護されていて、

モケーニ渓谷のサントルソーラ。

学校の授業はモケーニ語で行われ、交通標識は2つの言語で書かれている。

　ベルスントル渓谷の南では、次第に減少してはいるものの、もう1つ別のゲルマン系言語が話されている。この言語は**キンブリ語**と呼ばれ、何世紀も孤立していたため標準ドイツ語の話者にはほとんど理解できず、バイエルン語の話者にさえほとんど通じない。およそ2200人の話者は、**ロアーナ**（**ロバーン**）、**ジャッツァ**（**リェッツァン**）、**ルゼルナ**（**ルセルン**）といった村や町に住んでいる。

　**サウリス**（ドイツ語ではツァーレ、住人420人）と**サッパーダ**（サッパーダ語では**プロドン**、人口1300人）の町では、それぞれバイエルン方言が使われている。もう**チロル方言**では使われなくなった要素をたくさん残している**サウリス語とサッパーダ語（プロドン語）**だ。

　**ティマウ村**（地元の方言では**ティシュルボング**）の年配の住人は、今もまだ大勢が**ティシュルボング語**を使っている。これは**ケルンテン方言**から分岐した方言で、ロマンス語の影響が強い。現在、子どもたちは幼稚園と初等学校でティシュルボング語を習う。

　標準ドイツ語、バリス語、キンブリ語の違いも、『星の王子さま』の同じ一節を比べることで見えてくる。

**標準ドイツ語：**

*Ach, kleiner Prinz, so nach und nach habe ich dein kleines schwermütiges Leben verstanden. Lange Zeit hast du, um dich zu zerstreuen, nichts anderes gehabt als die Lieblichkeit der Sonnenuntergänge. Das erfuhr ich am Morgen des vierten Tages, als du mir sagtest: Ich liebe die Sonnenuntergänge sehr.*

**バリス語：**

*Ach, chliine Prinz! So naat zu naat hani dis chlii, schwärmiätigs Läbu verschtandu. Lang hesch als Ablänkig nur d'Freid ane Sunnuunergäng ka. Das hani ersch am Morgu vam viärtu Tag erfaaru, wa du z'miär gseit hesch: Ich ha gäru Sunnuunnergäng.*

**キンブリ語：**

*Oh khlumma printz, i hån vorstånt laise laise doi khlumma trauregez lem. Vor långa zait hasto nèt gehatt åndarst baz daz süaz vodar sunn boda oinegeat. Eppaz mearar hånne darvert in viarte tage, mòrgas, baldomar hast khött: 'Z gevalltmar asó vil seng gian oine di sunn.*

# 北アメリカにおけるゲルマン語派の言語島

ハドソン湾

カ ナ ダ

フッター派ドイツ語

オーストリア・ドイツ語

アマナ・ドイツ語

ペンシルベニア・
ドイツ語

米 国

テキサス・ドイツ語

大 西 洋

メノナイト低地ドイツ語

メキシコ湾

メキシコ

メノナイト低地ドイツ語

ベリーズ カ リ ブ 海

ペンシルベニア・
ドイツ語

太 平 洋

## アマナ・コロニー

　自分の信じたい宗教を自由に信じたいという願いに導かれたさまざまな宗派の人々が、平穏を求めて集団で世界のはるか彼方を目指した。例えば、19 世紀半ば、**敬虔主義**と呼ばれるルター派の一派が、ルター派教会の正統主義やドイツ国家との間で数々のトラブルを経験した末、自分たちの宗教観を自由に表明するため大西洋を渡ることにした。そうしたドイツからの移民たちはニューヨーク州にコロニーをいくつか築いたのち、もっと静かな場所で暮らすため集団でアイオワ州に移り、**アマナ・コロニー**を築いた。アマナは 7 つの村からなり、それぞれに教会、学校、店、ワイン貯蔵庫、酪農場、そして消防団がある。

　現在、アマナ・コロニーでは数百人が**アマナ・ドイツ語（コロニー・ドイチュ）**を話す。この言語は日常的に使われているため、消滅の危機には瀕していないと考えられている。

## オーストリア系アメリカ人

　1734 年、オーストリアのザルツブルクから最初の**オーストリア系**移民が新世界に渡り、ジョージア州に自分たちの居住地をつくった。それが、サウスカロライナ州との州境にある**エベネザー**という町だ。

　現在、エベネザーは既に廃墟となっており、米国でオーストリア移民の子孫が 10% 以上を占める居住地は 2 つしかない。ウィスコンシン州の**ウォータービル**とペンシルベニア州の**コプレイ**だ。オーストリア系アメリカ人で特に有名な人物には、著名な俳優でボディービルダー、そして元カリフォルニア州知事でもあるアーノルド・シュワルツェネッガー、俳優で映画監督のウディ・アレン（本名アラン・スチュアート・コニグスバーグ）、俳優のフレッド・アステア（本名フレデリック・オースターリッツ）などがいる。アステアの父親はオーストリアのリンツ出身だった。北アメリカ全体に視野を広げると、もう 1 人興味深い人物がいる。オーストリア皇帝フランツ・ヨーゼフ I 世の弟で、メキシコ第二帝政の唯一の皇帝だったマクシミリアーノ I 世（在位:1864 〜 1867 年）だ。

## テキサスのドイツ人

**テキサス・ドイツ語**は、ドイツから来た移民の子孫からなる（小さな）グループ、主にドイツ中部出身の人々の子孫が話す言語である。彼らは 19 世紀半ばにやって来て、テキサス州中部および南部に 10 ほどの町をつくった。現在でもテキサス・ドイツ語を話す数千人の年配層がいる一方で、若年層でこの言語を知っている人はほとんどいないと推測される。

**フレデリックスバーグ**（ドイツ語では**フリードリヒスブルク**、人口 9000 人）はドイツ系住民が最も多い町で、地元では**フリッツタウン**と呼ばれることも多い。フレデリックスバーグの住民の約 40% はドイツにルーツを持ち、12% が日常的にテキサス・ドイツ語を使っている。

## ドイツ系メキシコ人

ドイツからの移民が初めてメキシコに住むようになったのは 19 世紀半ばのことだ。**ドイツ系メキシコ人**としておそらく最も有名なのは、メキシコ現代絵画の第一人者フリーダ・カーロだろう。彼女の父親はドイツ生まれだった。

メキシコには、ドイツ語（または、少なくともその何らかの方言）を話す別のグループも大勢住んでいる。ドイツ系メキシコ人のなかには、**メノナイト（メノー派）**と呼ばれる人々が 11 万人以上いる。彼らはほぼ**メノナイト低地ドイツ語（プラウトディーチュ）**だけを使うが、この言語は、もとは**低地ドイツ語**と**オランダ語**が混ざって生まれたものだ。メノナイトが最も多いのはメキシコ北部のチワワ州で、その数は約 9 万人にのぼる。特に**クアウテモク**周辺に集中しており、同市ではスペイン語、英語、メノナイト低地ドイツ語の 3 つが公用語になっている。

メキシコのメノナイトのなかには、隣接するベリーズにコロニーを築いたグループもあった。最も有名なコロニーは**スパニッシュ・ルックアウト**という町で、約 2500 人の住民のほぼ全員がメノナイト低地ドイツ語を話す。

## フッター派

　プロテスタントには、**フッター派**という別のコミュニティーもある。もっともフッター派の人々は、自分たちをプロテスタントとは別の宗派とみなしている。16世紀のヨーロッパで誕生したこの宗派の人々は、カナダと米国の大草原に平安の地を見いだした。一時はわずか400人にまで減少したが、この宗派、そして言語グループは現在4万5000人を数える（4分の3はカナダ、4分の1は米国）。このコロニーの子どもたちが最初に覚えるのは**フッター派ドイツ語**で、英語はフッター派の教育プログラムに沿った教育をコミュニティー内の学校で受けるときに初めて学ぶ。

　フッター派ドイツ語はチロル地方のバイエルン方言を基盤とする言語である（この宗派の創始者ヤーコプ・フッターは、現在のイタリアの南チロル出身だった）。やがて、ますます多くのフッター派がオーストリア南部のケルンテンからやって来たため、この言語はドイツ語ケルンテン方言の特徴をどんどん吸収していった。現在、フッター派ドイツ語は、当初の2つの方言が混ざったものにロシア語と英語からの借用語彙が加わった言語だとみなされている。

伝統的な衣装を着たフッター派の女性たち。サウスダコタ州グリーンウッドにあるフッター派のコロニーにて。

## ペンシルベニア・ドイツ語

**ペンシルベニア・ドイツ語**または**ペンシルベニア・ダッチ**（ドイツ語では**ペンジルファーニッシュ・ダイチュ**）はドイツ語の一種で、現在では主に**アーミッシュ**とメノナイトという保守的なグループによって、米国のいくつかの州で用いられている。この言語の話者は全部で 30 万人ほどいるとされ、最も集中しているのが米国**ペンシルベニア州**で、ドイツをルーツとする人が人口の約 3 分の 1 を占める。**オハイオ**、**インディアナ**、**ウィスコンシン**、**アイオワ**の各州にも大勢の話者がいる。ここで豆知識。「ダッチ（Dutch）」という名称は Deitsch という語から来ているが、これは現在のペンシルベニア・ドイツ語を話す人々の祖先が使っていた方言で、「ドイツの（Deutsch）」という意味だ。

興味深いことに、ペンシルベニア・ドイツ語は 1970 年代初めから南へ広まっていった。メノナイトの新しいコロニー、**アッパー・バートン・クリーク**がカリブ海に面したベリーズにできたときのことだ。このコロニーは、住民（現在は 400 人）が現代文明の力を使わなくても生活できるようにつくられた。つまり電気も車も使わず、畑は馬の助けを借りながら人の手で耕すのである。教育はコロニー内の初等学校で行われており、中等教育以上の教育は許されていない。

# 南アメリカにおけるドイツ語の言語島

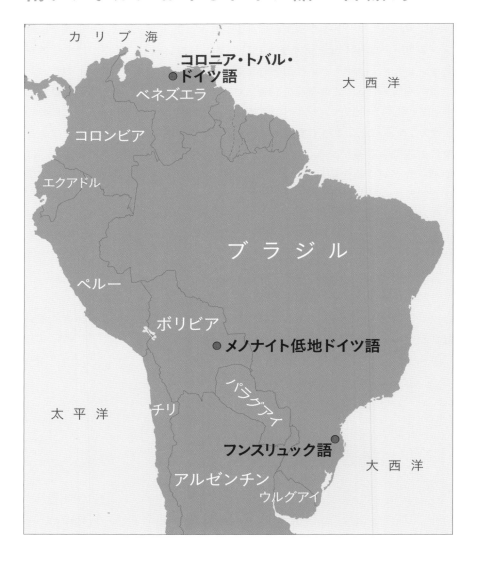

カリブ海

**コロニア・トバル・**
**ドイツ語**

大 西 洋

ベネズエラ

コロンビア

エクアドル

ブ ラ ジ ル

ペルー

ボリビア

**● メノナイト低地ドイツ語**

パラグアイ

太 平 洋

チリ

**フンスリュック語**

大 西 洋

アルゼンチン

ウルグアイ

## コロニア・トバル・ドイツ語

　19世紀半ば、ドイツのバーデン大公国（現在のドイツ南西部）を出た400人の集団が、はるばる大西洋を越えてベネズエラに渡った。標高2200メートルのこの地に彼らは居住地を定め、**コロニア・トバル**と名づけた。第二次世界大戦が始まる頃には、この居住地は「カリブのドイツ」という呼び名で知られていた。教会と家は南ドイツの様式で建てられ、住民はドイツ語の方言であるアレマン語を話した。居住地が孤立していたため、コロニア・トバルは文化的自治権を与えられたようなものだった。残念ながら、戦争が起こると、この言語の使用は完全に禁じられ、戦後に立派な道路ができたのち、スペイン語を話す人々が急速に流入してきた。現在では、コロニア・トバルの住民で**アレマン・コロニエロ**（このドイツ語方言のスペイン語名）を話すのは、年配の1500人にすぎない。

ベネズエラ、アラグア州のサン・マルティン・デ・トゥルス教会。

## フンスリュック語

　ブラジルの最南に位置する3つの州、**リオグランデ・ド・スル**、**サンタ・カタリーナ**、**パラナ**にも、ドイツ語を話す人々が住んでいる。ここで話されているのは、**フンスリュック語**または**リオグランデンザー・フンスリュッキッシュ**と呼ばれる言語だ。南アメリカにこの言語を伝えたのは、19世紀半ばに、ルクセンブルクとフランスとの国境沿いにある、ドイツのフンスリュックという地域からやって来た人々だ。ブラジルでは、メノナイト低地ドイツ語、ポルトガル語のほか、先住民の言語（**グアラニー語**、**カインガング語**）と移民の言語（イタリアの**ベネト語**）も、フンスリュック語の形成に大きな影響を与えた。

　現在フンスリュック語はブラジルの自治体のいくつかで公用語の1つになっているほか、アルゼンチンとパラグアイの国境にある小さな地域でも使われている。

　『星の王子さま』はフンスリュック語にも訳されている。

*Ah!, kleene prins, soo wii ich aankefang hon se ferxteen, noo un noo, ti kehëmnis fon tayn traurich leeweche. Iwich en lang tsayt hast tuu khee aner ferkniichung kehat als ti siisichkheet fom unerkang fon te sun. Tee noye tetayl hon ich kelërnt wii tuu mich saast, moynts, am fierte taach: Ich hon te sune unerkang aarich kërn.*

　「ブラジルで最もドイツ的な都市」はサンタ・カタリーナ州にある。このフレーズを誇らしげに掲げているのは**ポメロデ**という都市で、3万5000人の住民の90%が何らかのドイツ語の方言を話す。その近くの**ブルメナウ**（人口36万人）は、19世紀に化学者で薬剤師でもあったドイツ人ブルメナウが築いた都市だ。そこではドイツからの影響が至るところに見られる。建物や住宅はドイツの典型的な様式で建てられ、ドイツの伝統的な祭典、オクトーバーフェストが18日間にわたり開催される。

ブラジル、ブルメナウのオクトーバーフェスト。

## メノナイト低地ドイツ語

　**メノナイトの一部**は、生活面でも宗教面でも旧世界と同じように自由が得られることを求めてボリビアに渡った。両大戦間期にもごく少数のメノナイトがボリビアの人の少ない地域に住むようになってはいたが、本格的な移住が行われたのは 1960 年代と 1970 年代で、新しい移住者たちがメキシコ、パラグアイ、カナダから大勢やって来た。この民族宗教グループは、南北アメリカ各地のメノナイトたちと同じく、主に**メノナイト低地ドイツ語**を使っている。メノナイトのなかでも、ボリビアのメノナイトは特に保守的だ。

　ボリビア当局はメノナイトに完全な信仰の自由を保障し、私立学校を設立する権利や兵役免除の権利も与えた。こうした数々の権利と強い職業倫理感があいまって、ボリビアのメノナイトのコロニーは繁栄した。今日では、およそ 5 万人のメノナイトが数十のコロニーに暮らし、豊かな実りをもたらす畑や果樹園に囲まれている。最大のコロニーは 5000 人が暮らす**リバ・パラシオス・コロニー**で、サンタ・クルス市の南 60 キロのところにある。メノナイトの村には、メノナイトがつくった私立学校があるところが多い。コロニーのメンバーのほとんどはメノナイト低地ドイツ語を話し、標準ドイツ語を知っている人はあまりいないのだが、興味深いことに教会ではふつう標準ドイツ語で説教が行われる。

# 世界各地のドイツ語の言語島

## ロシアのドイツ語

　ロシア人とドイツ人の歴史的な絆は、戦時も平時も複雑に絡み合っている。ドイツ人は、しばしば歴代のロシア皇帝の招きを受けてロシアに移り住んだ。先祖の代から数百年にわたってロシアで暮らしてきたドイツ人も多かったが、第二次世界大戦後、ソビエト連邦にいたドイツ人のほとんどは追放された。

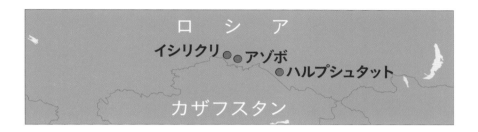

　現在、ロシアのオムスク市の近くには、ドイツ系の人々が多く住む地区が2つある。どちらの地区もシベリアの南西部、カザフスタンとの国境近くにある。アルタイ地方の**ネメツキー民族区**（ネメツキーはロシア語で「ドイツの」を意味する）は、広さ1450平方キロで総人口は1万7700人、そのうち4700人がドイツ系だ。この地区の行政の中心地はガリブシュタット（ドイツ語ではハルプシュタット）である。ソビエト連邦崩壊後、ドイツはアジアに住むドイツ系の人々のために財政支援を行うようになり、道路、住宅、工場、学校、病院を建設した。残念ながら、それでもこの地区に暮らす人々の多くがドイツに戻るのを食い止めることはできなかった。ネメツキー民族区からそう遠くないところに**アゾフスキー・ネメツキー民族区**があり、その中心にアゾボという町がある。この地区の総人口2万3000人のうち、4500人がドイツ系である。ここでも住民の多くは機をとらえてドイツに移住し、残った人々も、ほとんどがもうドイツ語を話さない。

　オムスク地域の町**イシリクリ**の近くにはメノナイトが暮らす村がいくつかあり、そこではまだメノナイト低地ドイツ語が話されている。

**プホイ村**は、ニュージーランドのオークランドから北へ 50 キロ行ったところにある。プホイとその近隣の**オハウポ**に移住してきた最初のヨーロッパ人は、当時オーストリア＝ハンガリー帝国の一部だったボヘミアのストト（ドイツ語ではシュタープ）という町出身の、ドイツ語を話す人々だった。第一次世界大戦が勃発してニュージーランドで反独感情が高まると、プホイの住民は、自分たちの居住地を、民族名よりも出身地の名にもとづいて「ボヘミア居住区」と呼ぶようになっていった。彼らの子孫は、多くの風習、民族衣装、音楽などとともに、珍しい言語、**プホイ・エーゲルラント方言**も受け継いでいった。これは、

プホイ町立図書館は、ニュージーランド最小の図書館の１つだ。

現在のチェコ共和国の西の端で使われていたバイエルン方言がもとになっている。残念なことに、今ではニュージーランドで話されているこのドイツ語の方言をほぼ完全に知っている人はほんのわずかだと考えられていて、あいさつするときに Wöi göiht's?（お元気ですか？）と声をかけることのできる相手も、健康を願って Bleib g'sund!（お元気で！／さようなら！）と言える相手も減る一方だ。

　20 世紀初頭、パプアニューギニア北部はドイツの植民地で、**ドイツ領ニューギニア**と呼ばれていた。ニューブリテン島にある東ニューブリテン州の州都**コポ**（ドイツ語では**ヘルベルトヒョヘ**）には、かつてカトリックの学校があり、さまざまなルーツを持つ家庭の子どもたちが通っていた。子どもたちはこの学校で標準ドイツ語を学んだが、同時にドイツ語と地元の言語、主にトク・ピシン語が混ざった独自の言語が少しずつ形成されていった。当時の慣習では、複数のルーツを持つ人は自分のコミュニティー内で結婚するものとされており、子どもたちも大人になるとそうしていたため、その結果、彼らの言語**ウンザードイチュ**（「われわれのドイツ語」の意）は保たれ、今日まで使われてきた。1975 年にパプアニューギニアが独立すると、「われわれのドイツ語」の話者はほぼ全員がオーストラリアに移住した。現在オーストラリアでこの言語を話す人は 100 人ほどで、主に**クイーンズランド州**に住んでいる。ニューブリテン島に残っているのは 10 人程度である。

## ナミビアと南アフリカのドイツ語

　ドイツは19世紀を通じてずっとナミビア（かつての**ドイツ領南西アフリカ**）の宗主国だったため、ナミビアでいまだにドイツによる支配の名残が見られるのは驚くに当たらない。現在、ナミビアにはドイツにルーツを持つ人々がおよそ3万人住んでいて、この国のヨーロッパ系住民の3分の1を占めている。

　最新の統計によると、沿岸の町**スワコプムント**では人口の5%がドイツ語を話すが、これはおそらくこの地域で最も高い割合だろう。ナミビア全土でドイツ語を使っているのは約4300世帯で、総世帯数の1%にすぎない。1916年に創刊したナミビア最古の日刊紙『アルゲマイネ・ツァイトゥング（「一般紙」の意）』は、今ではアフリカで唯一のドイツ語の日刊紙であり、ナミビアで最も広く読まれている新聞である。

　南アフリカ共和国でドイツ語を話すのは人口の0.1%未満、1万2000人ほどである。少数派のドイツ人が暮らす場所として重要なのが北西州の村**クローンダル**で、住民3500人のうちかなりの割合がドイツ語を話す。

# さらにいくつかのゲルマン語派の言語島

## ビラモビアン語（ポーランド）

　**ビラモビツェ**の町はポーランド南部にあり、約3000人が住んでいる。そのほとんどがポーランド語を話すが、ごく少数（100人未満）は、珍しい（極小）言語を話す。彼らが**ビミシュエリシュ**（英語では**ウィミソーリス**または**ビラモビアン**）と呼ぶ言語だ。これはゲルマン語派の1つで、ドイツ語の方言とされている。だが、ビラモビツェの住人のほとんどは自分がドイツ人であると考えたことはなく、そのおかげで第二次世界大戦後にポーランドから追放されずにすんだ。

ある意味では、ビラモビツェの人々の歴史は1241年に始まる。モンゴルが破竹の勢いでヨーロッパ全土を襲い、町や村を荒らし、現地の人々を殺し、襲撃した国々の経済を崩壊させた。ポーランドもそのような国の1つで、当時の支配者たちはヨーロッパ西部の人々を招き寄せ、捨てられた村に住まわせて農業と商業を再開させた。ビラモビツェに伝わる話では、彼らの祖先はさまざまな場所からポーランドにやって来たという。これは、研究によってある程度は裏づけが取れている。さまざまな場所とは、今日のベルギー北部に当たるフランドル、オランダとドイツの北部とデンマークにまで広がるフリースラント、それにスコットランドだ。移住者たちの言語が混ざり合ったものに現地のポーランド語とドイツ語の方言が加わって、ほかに類のない独特なビラモビアン語が形成されたのである。

ポーランド語とビラモビアン語で書かれたウェルカム・サイン。ポーランドのビラモビツェにて。

## フリジア語

　**アングロ・フリジア語群**は西ゲルマン語群のなかの1グループで、現在は英国とアイルランド（英語とスコットランド語）、それにオランダとドイツ（**フリジア語**）で話されている。

　フリジア語は、北海の南、オランダとドイツの沿岸部に暮らす50万人が話す言語である。この言語は3つのグループに分かれているが、それぞれの話者が互いの言語を理解することはできない。

- **西フリジア語**（**フリスク**、話者数40万人）はオランダの**フリースラント州**の公用語である。
- **北フリジア語**（**ノルトフリースク**）は、ドイツ最北部のデンマークとの国境沿いに暮らす1万人足らずの人々が用いる言語である。10ほどの方言があり、その1つ**ヘルゴラント方言**（この方言では**ハルンダー**）は、北海に浮かぶドイツ領の**ヘルゴラント島**で住民1500人の3分の1が使っている。
- 最も興味深いのが**ザーターフリジア語**または**ザーターラント語**（**セールタースク**）で、これは**東フリジア語**の方言のうち今に残る最後の言語である。現在では、ドイツ北部の自治体**ザーターラント**(総人口1万人)の村々の住人2250人が話している。話者の多くはシニア世代なので、ザーターラント語は消滅の危機にある言語だと言える。だが最新の情報によれば、若い世代でこの言語を母語とする人は若干増加傾向にあり、親が幼い子どもにザーターラント語を教えることも、徐々に一般的になりつつある。

　オランダの**フリースラント州**（西フリジア語では**フリスラーン**）では、現在4万5000人が**タウン・フリジア語**（オランダ語では**シュタッツフリース**）を話し、5000人が**ビルト語**を話す。この2つの言語はどちらも、オランダ語とフリジア語の混成言語である。

## アフリカーンス語の言語島

　オランダ語は、大勢のオランダ人移民とともに南アフリカ共和国に伝わった。時が経つにつれ、母国からはるか離れた地で周囲の言語の影響を受けたことも手伝って、オランダ人移民の言語は大きく変化して独自の語彙、綴り、文法を持った新しい言語となり、新しい言語名もついた。それが**アフリカーンス語**（オランダ語で「アフリカの」を意味する）だ。アフリカーンス語はオランダ語から派生した言語とみなされ、世界で最も若い言語の１つである。

　南アフリカでアパルトヘイトが行われていた時期、「白人」の支配階級の間ではアフリカーンス語が主な言語だった。1994 年に人種隔離政策が撤廃されると、アフリカーンス語は 11（！）の公用語の１つにすぎなくなった。アフリカーナーのなかには、自分たちの文化や宗教、そしてとりわけ言語が危機にさらされていると感じた者もいた。そこでアフリカーナーのあるグループが南アフリカのほぼ中央に土地を購入し（さびれた臨時労働者用の居住地を備えた場所だった）、そこに**オラニア**という町を築いた。町ができるまでの道のりは長く、決して楽ではなかったが、現在では比較的繁栄した町となり、生活水準も高く維持されている。オラニアには独自の通貨オーラ（「黄金」を意味するラテン語 aurum に由来）があるほか、独自の旗、学校、銀行、ラジオ局、病院もある。オラニアの住民 1800 人はアフリカーンス語だけを使い、初等および中等学校の授業も、すべてこの言語で行われる（英語は第２言語として教えられている）。

南アフリカ共和国の
オラニア。

## フランス・フラマン語

　**フラマン語**は、ベルギーの北部および西部、オランダ南部のごく限られた地域、それにフランス北部で話されている方言の連続体である。フランス北部で話されているフラマン語は**フランス・フラマン語（フランシュ・フレームシュ）**と呼ばれる。かつてはフランスのこの一角で優勢な言語であり、100年前には多くの居住地でフラマン語だけが使われているような状況だったが、ここ数十年で話者数は激減し、そのような居住地はもう存在しない。現在フランス・フラマン語を話すのはおよそ1万人で、主に**ハウトラント**（フラマン語で「森林地」を意味する）という農業地帯で使われている。

## ゲルマン語派の言語島の共通点と相違点

　『星の王子さま』の翻訳を見れば、ビラモビアン語、各種のフリジア語、フラマン語、アフリカーンス語、オランダ語の共通点と相違点がわかるだろう。

### ビラモビアン語：

*Ju, kliner fjyśt! Śtyklawȧjz kom yh uf dȧj klin, medytjynfuł ława. Łangy cȧjt ferbłyn nok dy myłda zunaundergeng. Yhy kom uf dos ȧ dryta tag s'mügjys, wy dy mer höst gyziöet: Yh łiw zunaundergeng.*

### 西フリジア語：

*Och, lytse prins, sa stadichoan begûn ik wat sicht op dyn lytse mankelike libben te krijen. Do hiest skoftenlang gjin oare ferdivedaasje as de wille oan it ûndergean fan de sinne. Dat hearde ik de moarns fan de fjirde dei doe'tst tsjin my seidest: Ik mei graach oer it ûndergean fan de sinne.*

## 北フリジア語（ジルト島方言）：

*Aach litj Prins, me di Tir haa ik dach din litj swaar Leewent forstön. En lung Tir heest dü, bluat om wat tö dön, nönt üđers her üs di dailk Önergang fan di Sen tötölukin. Dit fing ik miarens, di fjaart Dai tö weeten, üs dü mi sairst: Ik mai en Senönergang sa hol liir.*

## ザーターフリジア語：

*Oach, litje Prins, so mäd de Tied hääbe iek dien litje sweermoudige Lieuwend begriepen. Man een loange Tied hääst du niks uurs häiwed, as dät ju Sunne sinnich unnergeen, wan du die moal ferpuustje wüült. Dät wude iek wies an dän Mäiden fon dän fjoode Dai, as du tou mie kweeden hääst: Iek mai so aiske jädden sjo, wan smoals ju Sunne unnergungt.*

## フラマン語：

*Oh mijn Klein Prinske, melankoniek boaske, zuu verstoa kik, beetse baa beetse eu leeve. G' hêt langen taad als aflaadijnge nie anders g'had dan het rust- geevende gevoel van de zonsondergange. 'k Hê da nieuw détail ontdekt, de vierden dag, tsmorges, oas ge maa gezaad hêt: Ik zie geere de zonsondergange.*

## アフリカーンス語：

*A, klein prinsie, so het ek stadigaan iets van jou lewetjie en sy hartseer begin verstaan. 'n baie lang tyd was die lieflikheid van die sonsondergang vir jou die enigste plesier op jou planeet - dit het ek agtergekom toe jy op die oggend van die vierde dag vir my sê: Ek hou baie van sonsondergange.*

## オランダ語：

*Ach, kleine prins, zo heb ik langzamerhand je droefgeestige leventje leren begrijpen. Lange tijd had je geen andere afleiding dan het ondergaan van de zon. Dat hoorde ik de vierde dag, toen je zei: Ik hou erg van zonsondergangen.*

# ロマンス諸語の言語島

　**ロマンス諸語**は大きな言語グループで、**ラテン語**の話し言葉を基盤として3世紀から8世紀に形作られ、徐々にヨーロッパの西部、南部、南東部へ、さらに南北アメリカとアフリカにも広まった。現在、世界中で9億人以上がロマンス諸語を話す。最も広く使われているのはスペイン語で、話者は4億9000万人、次いでポルトガル語が2億5000万人、**フランス語**は8000万人近い。古典ラテン語に最も近いのはイタリア語で、最も大きく変化したのがフランス語だと考えられている。とはいえ、現在のロマンス諸語はどれも、ラテン語との共通点よりも各言語同士の共通点のほうがずっと多い。ロマンス諸語の分類については諸説あるが、以下にその一例を挙げる。

- **東ロマンス語**：バルカン半島とイタリア南部で話されている。
- **中央ロマンス語**または**イタロ・ダルマチア語**：イタリア中部と南部、シチリア、サルデーニャの一部で話されている。
- **西ロマンス語**：おおまかには、フランス、スペイン、イタリア、ポルトガル、そしてその国々のかつての植民地と現在のコロニーで話されている。
- **サルデーニャ語**：単独でロマンス諸語の枝の1本を構成している。

# バルカン半島におけるロマンス諸語の言語島

　まずは、東ロマンス語の言語島から見ていこう。この言語は、現在ではさらに 2 つの下位グループに分かれている。

● 南イタリアの**カステルメッツァーノ方言**。
● **バルカン・ルーマニア語**：**ルーマニア語**、セルビアの**ブラフ語**、**アルーマニア語**、**メグレノ・ルーマニア語**、**イストロ・ルーマニア語**が含まれる。

## カステルメッツァーノ方言（イタリア）

　イタリア半島南部、"長靴"のつま先とかかとの間に、バルカン半島以外では唯一、東ロマンス語が話されている場所がある。ここで話されているのが**カステルメッツァーノ方言**で、同じくカステルメッツァーノ（カステルメッツァーノ方言ではカストレメンツァーネ）という名前の町とその周辺で話されている。この町の美しさは有名で、イタリア語で「イタリアの最も美しい村」を意味する団体 I Borghi più belli d'Italia に加盟している。

雪の積もったカステルメッツァーノの夜景。

## アルーマニア語

　**アルーマニア語**（アルーマニア語では**アルムネアシチェ**）は、俗ラテン語と**古バルカン民族**（**トラキア人**と**イリュリア人**）の言語が混ざってできたもので、古バルカンの人々がローマ化されたあとに誕生したと見られる。

アルーマニア人の自称は**ルラマンジ**または**アルマニ**だが、近隣の民族は**ブラフ人**または**ツィンツァル人**と呼んでいる。北マケドニアの町**クルシェボ**（アルーマニア語では**クルシュバ**、アルバニア語では**クルシェバ**）は３つの言語が使われるトリリンガルの都市で、世界で唯一アルーマニア語を公用語とする都市だ。あとの２つの公用語はマケドニア語とアルバニア語である。したがって、この都市には正式な名前が３つある。クルシェボの住民5500人のうち、20%がアルーマニア人だ。国営のラジオとテレビでは定期的にアルーマニア語による放送があり、アルーマニア語で授業を行う学校もある。

　**メツォボ村**（アルーマニア語では**アミンチウ**、人口6500人）は、ギリシャのみならずバルカン半島全体におけるアルーマニア文化の中心地である。ギリシャにおけるアルーマニア文化圏としてもう１つ重要な場所は、ピンドス山脈の山腹に位置する**サマリナ村**だ。この村は標高1380 〜 1515メートルにあり、人が居住している場所としてはバルカン半島で最も高所の１つに当たる。

　アルバニアの南東部にある**グラボブ・エ・シプルメ**（アルーマニア語では**グラブバ**）もアルーマニアの村だ。復興後のブルガリア総主教庁の初代総主教を務めたブルガリアのキリル（在任：1953 〜 1971年）、19世紀にトランシルバニアのルーマニア正教会の府主教だったアンドレイ・サグナは、どちらもこの村の出身である。

　**メグレノ・ルーマニア語**（アルーマニア語では**ブルヘシュテ**）は、ロマンス諸語の１つの言語であるとも、ルーマニア語とアルーマニア語の中間的な方言であるとも考えられている。現在この言語を話すのは、ギリシャと北マケドニアの国境にあるごく狭い地域に住む5000人ほどと、ルーマニアに住む数千人である。

　『星の王子さま』の一節で、アルーマニア語がどんな言葉なのかを見てみよう。

*Ah! Amirārush njic, duchii niheam cãti niheam njica a ta banã melancolicã. Multu chiro nu avushi altã harauã cã mashi ascãpitata a soarlui. Ānvitsai aestã, patra dzuã, tahina, cãndu-nj dzãseshi: Mi ariseashti multu ascãpitata a soarlui.*

## イストロ・ルーマニア語（クロアチア）

　世界で最も小さな民族集団の1つ、**イストロ・ルーマニア人**（イストロ・ルーマニア語では**ルメリ**または**ルムリ**）は東ロマンス語を話す民族で、アドリア海北部のイストリア半島の、荘厳なアルプス山脈からそう遠くないところで数百年間暮らしてきた。

　現在、イストロ・ルーマニア人は2つのグループに分かれている。ウチュカ山脈の北の**ジェヤネ村**（イストロ・ルーマニア語では**ジェヤン**）に住む人々、そしてこの山脈の南にある**シュシュニェビツァ村**の人々である。話者の数でも、日常的に使われているという点でも、この言語が最もよく保存されているのがこのジェヤネ村である。イストロ・ルーマニア人は、バルカン・ルーマニア人のなかでは唯一カトリックを信仰していたため、ほかの場所では早い時期に同化してしまったのかもしれない。司祭はみな、クロアチア語だけで説教を行っているからだ。

　イストリア半島のアドリア海沿岸からわずか数キロ、そしてウチュカ山脈および今なおイストロ・ルーマニア語が話されている地域から数十キロのところにある**バレ村**では、およそ400人の住人が**イストリオット語**という言語を話す。これはロマンス諸語の1つで、系統的にはおそらくラディン語などのレト・ロマンス語群に最も近く、イストロ・ルーマニア語との直接の系統関係はない。第二次世界大戦後、少数のイストリオット語の話者がサルデーニャの**フェルティリア**の町周辺に移住した。

カーニバルの伝統的な衣装。クロアチアのジェヤネ（ジェヤン）にて。

# サルデーニャにおけるロマンス諸語の言語島

## アルゲレーゼ語

　**アルゲレーゼ語**（または**アルゲレス語**）は、**古カタルーニャ語**の変種とされ、サルデーニャの北西の沿岸にある**アルゲロ**（アルゲレーゼ語では**ラルゲル**、人口４万5000人）で話されている。

　14世紀には、**アラゴン連合王国**に属する国々が地中海の西側のかなりの部分を占めていた。14世紀末、反乱が失敗に終わると、アルゲロ市の元の住人は追い出され、代わりにカタルーニャ人が大勢連れてこられた。現在ではイタリア化がかなり進んでいるが、アルゲロとその近隣に住む人々の５分の１は、アルゲレーゼ語が自分の母語だと考えている。20世紀末からアルゲレーゼ語は公用語の１つとされ、イタリアは国としてこの言語を保護するようになった。文学と音楽で使われることが増え、数多くの本が翻訳されている。『星の王子さま』もその１つだ。

### アルゲレーゼ語：

*Ah! Petit príncip, j he comprès, a poc a poc, la tua petita vida malenconiosa. Per tant temps, tu no has tengut altra distracció, que la dolçor de les colgades del sol. Ha sabut aqueix particular nou, lo quart dia, al maití, quan m'havies dit: M'agraden tant les colgades del sol.*

**カタルーニャ語：**

*Ah!, petit príncep, d'aquesta manera, i a poc a poc, vaig anar entenent la teva petita vida malenconiosa. Durant molt de temps, l'única distracció que havies tingut havia estat la dolçor de les postes de sol. Vaig saber aquest altre detall el matí del quart dia, quan em vas dir: M'agraden molt les postes de sol.*

アルゲレーゼ語はカタルーニャ語が崩れたものではなく、カタルーニャ語の姉妹言語であり、カタルーニャやバレンシアの古カタルーニャ語からそれぞれ異なる状況下で変化したものだと考えられている。

## タバルカ語

リグリア語またはジェノバ語と呼ばれる言語は**ガロ・イタリア諸語**の1つで、イタリアのジェノバとモナコの近辺で話されている。

サルデーニャの南西沖に小さな町が2つある。サン・ピエトロ島の**カルロフォルテ**とサンタンティオコ島の**カラゼッタ**だ。2つの町で使われているリグリア語の一変種が**タバルカ語**と呼ばれている。サルデーニャ南部でリグリア語が使われるようになったいきさつをたどると、16世紀半ばまでさかのぼる。サンゴや海綿の採集で生計を立てていた30家族が、ジェノバ近郊のペーリの町を出てチュニジアの北の沖にあるタバルカ島に移り住んだ。およそ200年後、海綿を見つけるのが次第に難しくなってきたため、ジェノバ出身の移民たちは故郷に帰ることにした。だが、サルデーニャの南、無人島だったサン・ピエトロ島に隣接する海域に海綿がたくさんあることがわかると、彼らはこの島に自分たちの住む町をつくりたいと考え、サルデーニャ王カルロ・エマヌエーレ3世に許可を願い出た。願いは聞き入れられ、のちにこの町は王への感謝を込めてカルロフォルテと名づけられた。同じ出自の別のグループも、似たような経緯で隣のサンタンティオコ島にカラゼッタという居住地を築いた。

カルロフォルテ（リグリア語ではウ・パイゼ、「町」の意、人口6200人）の住人が現在話しているリグリア語は、古い形をほとんどとどめておらず、ジェノバで使われている言語に似ている。これに対し、カラゼッタ（リグリア語ではカデゼッダ）で話されている言語ははるかに古い形をとどめていて、かつて

16 世紀にタバルカ島とジェノバで話されていた言語によく似ている。

　『星の王子さま』を見ると、リグリア語（ジェノバ語）とタバルカ語の違い
がよくわかる。

### リグリア語：

*Ah! Prinçipìn, ò compréizo, ciancianìn, coscì, a teu vitta piciña e malincònica de figeu solo. O l'ëa de pe coscì che pe a teu distraçión ti no avéivi avùo nintätro che o doçe di tramonti. Ò capïo sta nœvitœ o quarto giorno, de matìn, quande ti m'æ dïto: Me piaxan tanto i tramonti.*

### タバルカ語：

*Oh prìncipe picin, à pócu à pócu ho acapìu a tó piciña e triste vitta. Pe tantu tempu ti nu t'è avüu otru che a beléssa di tramunti. Ho acapìu sti nöi aspetti de ti â matin du quòrtu giurnu, quande ti m'è ditu: Végnu mattu pai tramunti.*

カルロフォルテ村のとある小道。

# イベリア半島におけるロマンス諸語の言語島

　スペイン、ポルトガル、アンドラ、フランス（南部）で構成されるイベリア半島、そして海を隔てた英国の海外領土ジブラルタルには 5500 万人が暮らしており、ロマンス諸語を母語とする話者が人口の多数を占める。一見すると、イベリア半島は言語的にはまとまっていて均質な場所であるように思えるが、際立ったロマンス諸語の言語島がいくつか存在している。

## ミランダ語

　ミランダ語（または**リェングァ・ミランデーサ**）はポルトガルの最北東部の方言で、隣接するスペインで話されている**アストゥリアス・レオン語**の方言またはその変種とされる。ミランダ語を母語とする人は約5000人で、そのほかに1万人ほどの話者がいる。この言語はアストゥリアス・レオン語を話す小さなグループが孤立した結果生まれたもので、古い形を多く残していたり、新しい文法や綴り上の特徴があったりするなど、スペインのアストゥリアス・レオン語とは書き言葉でも話し言葉でも違いが見られる。

　1998年、ポルトガル議会はミランダ語を**テラ・デ・ミランダ**（スペインとの国境にある約500平方キロの地域）の公用語とし、これによって、ミランダ語の保存に向けての状況はいくらか好転した。問題は、この言語を学びたがらない若者もいるという点である。学んでも将来的にメリットがないと思われているのだ。

## ミンデリコ

　ミンデリコ（ミンデリコでは**ピアサン・ド・ニニョ**、「ミンデの言語」の意）は、秘密の言語または社会方言（特定の社会階層に見られる方言）で、繊維産業と取引に関わる労働者がつくり出した言語である。18世紀に**ミンデ**（ミンデリコでは**ニニョ**）の町で生まれた珍しい言語で、この町の名にちなんで名づけられた。現在ミンデリコを使うのはおよそ500人とされ、この言語を強化するために、言語的な資料を集めようとする努力が行われている。ミンデリコの話者は少なく、しかもほぼ全員が知り合いなので、会話で誰かの特徴を表すときには、その人の名前やあだ名を用いることが珍しくない。例えば、「背が高い」という形容詞の代わりに背の高い人の名前を使う。

　ミンデリコは、ごく限られた社会集団の秘密の言葉として生まれたものが、ミンデというポルトガルの都市とその周辺に住む大勢の人々が知る言語になったという、興味深い発展を遂げた言語である。

# アラゴン語

　**アラゴン語**は西ロマンス語の１つで、現在は**アラゴン自治州**北部の、ピレネー山脈の山腹と谷間で使われている。話者の数は減少しつつあり、推定では、現在の話者は約１万人で、さらに２万人がこの言語の基本的な知識を持つとされる。アラゴン語は一般的には**ファブラ**（「話す」の意）と呼ばれるが、話者のほとんどは自分が使っている方言の名前で呼んでいる。例えば、エチョ谷（アラゴン語ではバル・デチョ）では**チェソ**という。

　地元の行政当局からある程度の権利は与えられているものの、現在、幼稚園や学校でアラゴン語を習う子どもの数は限られている。この言語を教えるための訓練を受けた教師が少ないことも一因だ。

　イベリア半島におけるロマンス諸語の言語島を扱ったこのセクションを締めくくるにあたり、２つの言語とスペイン語で書かれた『星の王子さま』の一節を比べてみよう。

## ミランダ語：

*Ah! Princepico, antendi als poucos la tue bidica triste. Durante muito tiempo, nun tubiste outra cousa que l ancanto de la çpousta de l sol para te çtraires. Soube-lo a la purmanhana de l quarto die, quando me deziste: Gusto muito de las çpoustas de l sol.*

## アラゴン語：

*Oi, prenzipet! Asinas, a moniquet, he entendiu a tuya chiqueta bida malinconica. Por muito tiempo a tuya unica entretenedera estió a suabura d'as clucadas de sol. M'enteré d'iste nuebo detalle o cuatreno día, de maitins, cuan me diziés: Me fa muito goyo as clucadas de sol..*

## スペイン語：

*¡Ah, principito! Así, poco a poco, comprendí tu pequeña vida melancólica. Durante mucho tiempo tu única distracción fue la suavidad de las puestas de sol. Me enteré de este nuevo detalle, en la mañana del cuarto día, cuando me dijiste: Me encantan las puestas de sol.*

# ブラジルとチピロのベネト語

　ベネト語（ベネト語では**エングワ・ベネタ**）はロマンス諸語の1つで、イタリアの**ベネト地方**のほか、その周囲の地域でも多少話されている。イタリア語の方言とみなす人も多いが、独立した言語と言える。イタリア語とベネト語は、**俗ラテン語**から分岐した同等の言語だと考えるのが最も適切だろう。ベネチア共和国があった頃は、ベネト語は地中海地域の広い範囲で共通語（リンガ・フランカ）としての役割を果たしていたが、19世紀半ばにイタリアが統一されると、ベネト語の重要性は一気に落ち込んだ。

　ベネト語はイタリアでは公用語の地位を与えられていないが、ブラジル南端の**リオグランデ・ド・スル州**と**サンタ・カタリーナ州**にある15の自治体では、ポルトガル語と並ぶ公用語になっている。

# ブラジル・ベネト語／タリアン方言

**ブラジル・ベネト語**、もしくは**タリアン方言**は、南部の**リオグランデ・ド・スル州**と**サンタ・カタリーナ州**、それに中部沿岸にある**エスピリト・サント州**の大勢の住民が使っている言語だ。タリアン方言は名前を見るとイタリア語の方言かと思ってしまいそうだが、そうではない。ベネト地方のさまざまな方言と、それを取り巻くガロ・イタリア諸語が混ざり合い、さらにブラジルの公用語であるポルトガル語からも、当然大きな影響を受けてきた言語だ。

統計によると、リオグランデ・ド・スル州では300万人（人口の3分の1）がイタリアをルーツとする。エスピリト・サント州ではこの割合がさらに高くなり、イタリア系は170万人で、人口の70%を占める。残念なことにベネト語を知らない者も多いが、まだ大勢の話者がいる。いくつかあるタリアン方言の新聞やラジオ局が役に立っている。

ブラジルに住むイタリア系の人々にとって、最も重要な産業はワインの生産だ。ワインで特に有名なのが、リオグランデ・ド・スル州の**ベント・ゴンサルベス市**（人口12万2000人）である。ベント・ゴンサルベスからそう遠くないところに、ブラジル有数の豊かな都市**カシアス・ド・スル**（人口52万人）がある。ここは、ブラジル国内におけるイタリア移民の地としておそらく最も重要な都市であり、工業や商業、そしてワインの生産により発展している。

ベント・ゴンサルベスの中心にあるワインの噴水。

## チピロ・ベネト語

　1882年、イタリアのベネト地方の町セグジーノからメキシコへやって来た数百人の移民が、ついに新しい居住地を築いた。それが、首都メキシコシティーの南東90キロに位置する**チピロ**（プエブラ州）だ。この標高2150メートルの土地でつくられる乳製品はメキシコの各地で評判となった。プエブラ州の州都プエブラからかなり近いが、**チピレニョス**（スペイン語でチピロの住人をこう呼ぶ）は自分たちの言語である**チピロ・ベネト語**、それに伝統文化の数々も、今日に至るまでおおむね受け継いでいる。これは珍しいことだ。ほとんどの場合、ヨーロッパからの移民はすぐにメキシコ文化に溶け込み、スペイン語を完全に受け入れたからだ。

　現在イタリアとメキシコで話されているベネト語を比べてみると、**イタリアのベネト語**のほうがチピロ・ベネト語よりも周囲の影響をはるかに強く受けているのは明らかだ。チピレニョスは周辺の居住地に住んでいたスペイン語やアステカ語族の話者と接触する機会が多かったにもかかわらず、借用語がある点を除けば、チピロ・ベネト語の変化は最小限にとどまっている。スペイン語の影響を受けていないのに、チピレニョスがチピロ・ベネト語を表記する際、主にスペイン語を基盤とした正書法を使っているのは奇妙に思えるかもしれない。実は、イタリア語を基盤とする正書法よりも、スペイン語基盤のほうがベネト語にはずっと適しているのだ。

　チピロの人口は3500人ほどで、そのうち2500人がベネト語を話す。このほかメキシコの**ベラクルス州**と**ケレタロ州**にも、チピロよりは小さいものの、ベネト語を話す人々の住むコロニーがある。イタリア移民の子孫が暮らしている場所ではどこでも古くからの風習が人気で、その1つがベファーナの人形を飾ることだ。ベファーナはサンタクロースのような存在で、ふつうは（年配の）女性の姿をしていて、十二夜つまり公現祭の日の前夜（1月5日の夜）に、子どもたちにプレゼントを持ってくる。いい子は靴下にお菓子やおもちゃを入れてもらえるが、悪い子は石炭のかけらしかもらえない。

チピロのベファーナ。メキシコ、プエブラ州にて。

# ケルト語派の言語島

　**ケルト人**はインド・ヨーロッパ語族に属する言語を話す民族で、紀元前6世紀に、アルプスの北にある比較的小さな地域からヨーロッパ大陸の各地へと広がり始めた。勢力圏が最も広がったのは紀元前3世紀で、スペイン、西ヨーロッパと中央ヨーロッパ、ブリテン諸島、ドナウ川沿いの地域から小アジアの中央部に至るまで、ヨーロッパの広範囲に及んだ。

　現在、ケルト語派の言語はヨーロッパ北西部のいくつかの小さな地域で使われている。どの言語もそれぞれの国で少数言語と位置づけられ、言語を保存し話者を増やすために多大な努力が払われている。**ウェールズ語**は現在使われているケルト語派のなかでただ1つ、消滅の危機にさらされていないとされる言語である。ケルト語派は、大きく2つのグループに分けられる。

- ●**大陸ケルト語**は、かつてはヨーロッパ全土と小アジアで使われていた。この区分は、純粋に地理的な要素だけによるものだ。というのも、どのような系統関係にあるのかも、もともとどのグループに属していた言語なのかもわかっていないからである。このグループの言語は、今ではすべて消滅してしまった。そのうち最も東で話されていたのが**ガラティア語**で、紀元前3世紀から紀元後4世紀、さらには6世紀になるまで小アジアで使われていた。
- ●**島嶼ケルト語**は、現在ブリテン諸島とフランスのブルターニュ半島で使われているが、その地域はますます狭くなってきている。ケルト語派のこのグループは、さらに2つのグループに分けられる。**中期アイルランド語**から派生した言語（**アイルランド語**、**スコットランド・ゲール語**、**マン島語**）はゲール語に、**共通ブリソン語**から派生した言語（**ウェールズ語**、**ブルトン語**、**コーンウォール語**）はブリソン語に分類される。

大 西 洋

北 海

バルバス ●

アードナマーカン ●

● マン島語

ミーズ・
ゲールタハト ●

アイリッシュ海

アイルランド

英 国

ゲールタハト・
ナ・ニェーシ ●

ケルト海

コーンウォール語 ●

英仏海峡

ブルトン語 ●

大 西 洋

フランス

ビスケー湾

# アイルランド語の言語島

　**アイルランド語**（または**アイルランド・ゲール語**）の言語島については、まず悲しい事実を指摘しておかなければならない。独立国家アイルランドにおいても、アイルランド語は言語島（せいぜい言語諸島）なのだ。この言語を日常的に使うのはアイルランドの人口のわずか10%で、この言語についてある程度しっかりした知識を持っている人は40%に満たないという統計結果も、この結論を裏づける。アイルランド語（**ゲーリゲ**）が話し言葉として使われている地域を「ゲールタハト」という。もともとは、人口の少なくとも25%がアイルランド語を話す地域のことだったが、現在では多くの場合、この割合は著しく低下している。ゲールタハトのほとんどはアイルランド西岸にあるが、ここでは、もっと小さなアイルランド語の言語島を2つ見ていきたい。1つは南、もう1つは東にある。

　**ゲールタハト・ナ・ニェーシ**はアイルランド南部にあり、**リン**と**オールド・パリッシュ**という2つの村からなる。リンのほうが大きく、住人はおよそ1000人。そのうち、どんな場面でもアイルランド語を話すのは3分の1である。リンでの教育は、どの段階（幼稚園、初等および中等学校）でもすべてアイルランド語だけで行われる。小さいほうの村オールド・パリッシュはリンからそう遠くない距離にあり、人口はわずか700人あまりだ。オールド・パリッシュの住民でアイルランド語を話すのは15%にすぎない。2005年以降、どの居住地もアイルランド語の地名だけを使うようになり、リンはアン・リン、オールド・パリッシュはアン・シャンフォバルとなった。

　アイルランドの首都ダブリン（アイルランド語ではバラー・クリーア）から50キロほど北西に行ったところに、最も小さなゲールタハト、**ミーズ・ゲールタハト**がある。隣接していない2つの村、**バレ・ギブ**（英語では**ギブスタウン**）と**ラー・ハルン**（英語では**ラスカラン**）からなり、アイルランド語を話す人が推定で1800人ほど住んでいる。このゲールタハトは、ほかの場所とは異なり、アイルランド語を島の東でも復興させようとする、国のゲール化政策の結果つくられたものだ。1930年代半ば、アイルランド語の話者が大勢この2つの村に移住した。ほかにも村はいくつかあったが、さびれてしまったり、アイルラ

■ ゲールタハト

大　西　洋

北アイルランド
（英国）

ベルファスト●

アイリッシュ海

ミーズ・
ゲールタハト

ダブリン ●

アイルランド

ゲールタハト・
ナ・ニェーシ

ケ ル ト 海

アイルランドのゲールタハト地域。

ンド語ではなく英語が使われるようになってしまったりした。アイルランド語を近隣の村にも広めるという国の願いは頓挫し、バレ・ギブもラー・ハルンも、住人のほとんどがバイリンガルになっている。

## スコットランド・ゲール語の言語島

スコットランド・ゲール語（ガーリグ）はスコットランド人のなかでゲール人と呼ばれる人々が使っている言語である。4世紀から5世紀にかけてダル・リアタ（ダルリアーダとも）という王国（スコットランドの島嶼部と本土西部のごく限られた地域、それに北アイルランド北部が含まれる）が成立すると、スコットランドに中期アイルランド語が流れ込む道が開け、それがやがてスコットランド・ゲール語となった。

ゲール語がかつてスコットランドのほぼ全域で話されていた証拠が、多くの地名に残っているものの、現在ゲール語を話すのはスコットランド人の1％強にすぎない。それでも、この言語の使用を復活させようとするさまざまな努力の成果で、今のところ若い世代の話者数の減少に歯止めがかかっている。

アウター・ヘブリディーズ諸島（スコットランド・ゲール語ではナ・ヘラナン・シアル）はスコットランドの西の沖にある列島で、2万7000人が暮らしている。最も重要な町はルイス島のストーノーウェイ（スコットランド・ゲール語ではシュテョルナバグ）だ。住人は約8000人、うち45％がスコットランド・ゲール語を話す。この町では、毎年ヘブリディアン・ケルティック・フェスティバル（ヘブケルト）という国際的なスコットランド音楽の祭典が開催される。

全体的に見るとスコットランド・ゲール語の話者は年々減少していて、現在では、話者が65％以上の行政教区はなく、ルイス島のバルバス（スコットランド・ゲール語ではバラバス）は64％である。スコットランド本土で20％以上の行政教区は1つもなく、最も話者数の多いアードナマーカン（スコットランド・ゲール語ではアールシュト・ナン・マーカン）でも19％である。

カナダのノバスコシア州、特にケープ・ブレトン島には、少数のゲール語話者がいる。19世紀には、ゲール語（カナディアン・ゲール語）がこの大陸で英語とフランス語に次いで3番目に重要なヨーロッパの言語だった。残念な

がら、今日ではその重要性は大幅に低下している。ノバスコシア全体、そして隣の**プリンス・エドワード・アイランド州**を合わせても、話者は 2000 人しかいない。ゲール語の使用を復活させようとする試みは数多く行われている。例えば、成人教育、有用な本の出版、中等学校におけるゲール語の使用などだ。

## マン島語

**マン島語**（マン島語では**ギルグ**または**ギルク**）は**マン島**で使われていたが、1974 年に最後の話者が亡くなった。その後、マン島語は公式には、あるいは公の場では使われなくなったが、多くの家庭には、この言語の部分的な知識を持つ人がまだ残っている。マン島語復活への歩みは 20 世紀半ばに始まり、現在では島民のうち 1800 人ほどが第 2 言語レベルの知識を持っている。

　アイルランド・ゲール語、スコットランド・ゲール語、マン島語は、どれも中期アイルランド語から派生した言語だ。最初の 2 つは中期アイルランド語から直接生まれたが、現在のマン島語は、中期アイルランド語がノルド語の影響を強く受けた結果生まれたものだ。

## コーンウォール語

**コーンウォール語**（コーンウォール語では**ケルヌーアク**または**ケルノウェク**）はケルト語派のブリソン語の 1 つで、**コーンウォール半島**で話されている。18 世紀にほとんど消滅したが、19 世紀もほぼずっと使われ続けていたという証拠もある。復興の動きは、1904 年に『A Handbook of the Cornish Language（コーンウォール語概説）』という本が出版されたことに始まるとされる。今日では 500 人ほどが第 2 言語としてコーンウォール語を話すほか、3000 人ほどが基本的な知識を持っている。ユネスコ（国際連合教育科学文化機関）は 2010 年にコーンウォール語を消滅した言語のリストから外したが、将来もその状態を維持するためには今後も多大な努力が必要だ。

　近頃人気なのが、子どもや船やペットの名前にコーンウォール語を使うことだ。この言語を教える学校もあり、いくつかのメディアでも使用されている。

## ウェールズ語の言語島

**ウェールズ語**は、ケルト語派のなかで唯一消滅の危機には瀕していないとされている言語だ。ケルト語派のブリトン諸語の1つで、現在では、英国**ウェールズ**の人口の30%に当たる80万人以上が使っている。ウェールズ政府は2050年までにウェールズ語の話者数を100万人にする目標を掲げている。母語で教育を行う学校に通う子どもが増加していることから、これからの30年でこの大きな目標を達成できる見込みは十分にある。

ウェールズ語の言語島があるのはウェールズではなく、ブリテン諸島でもない。ヨーロッパでもなければ、北半球ですらない。ウェールズ語の言語島、**ア・ウラドバ**（「コロニー」の意）があるのは、**パタゴニア**のアルゼンチン側だ。このコロニーは1865年、現在でも人の少ないパタゴニアにアルゼンチン政府がヨーロッパ各国から入植者を招き入れて生まれた。ウェールズ人は東の太平洋岸にある**チュブト州**、そして西側では、荘厳なアンデス山脈の山腹に入植地を築いた。現在の**パタゴニア・ウェールズ語**（ウェールズ語では**カムラーイグ・ア・ウラドバ**）の話者は推定2000〜5000人で、全員がバイリンガ

ル（ウェールズ語とスペイン語）またはトリリンガル（ウェールズ語とスペイン語と英語）である。本来のウェールズ語が、アルゼンチンでスペイン語からの借用語を数多く取り入れるなどの影響を受け、新しい言語として変化した。それでも、ヨーロッパにいるウェールズ語の話者は、この言語を十分に理解できる。パタゴニア・ウェールズ語を通じて、ウェールズでも思いがけず変化したことが1つある。アルゼンチンで十進法を覚えた人々が、それをウェールズに伝えたのだ。もともとウェールズでは二十進法が使われていたが、今では完全に十進法になっている。

　現在アルゼンチンでウェールズ文化の中心となっている都市は、アルゼンチンの大西洋岸からそう遠くない**ガイマン**、そして、チリとの国境からわずか数キロの距離にあるアンデス地方の**トレベリン**だ。

翼のないウェールズ・ドラゴンが描かれた、ア・ウラドバの旗。

## ブルトン語の言語島

　実のところ、**ブルトン語**（ブルトン語では**ブレゾンネク**）の言語島というものはない。ただし、この言語全体が島のようなものだと言うことはできる。理由は次のとおりだ。ブルトン語は島嶼ケルト語の１つだが、使われているのはブリテン島（つまり英国）ではなく、ヨーロッパ大陸なのだ。大陸ケルト語ははるか昔にすべて消滅してしまったが、ブルトン語は今でもヨーロッパ大陸で使われている。それでは、なぜ島嶼ケルト語に分類されているのだろうか。理由は簡単だ。アングロ・サクソン人がブリテン島にやって来ると、その数世紀前に大陸から島に移り住んでいたケルト人のなかに、故郷をあとにして大陸本土に逃げざるを得なくなった者たちがいたのだ。

　ブルトン語は、島嶼ケルト語のなかのブリソン語の１つである。最も近い関係にあるのはコーンウォール語で、この２つは同じ言語の方言にすぎないと考える学者も多い。ウェールズ語と、消滅した**カンブリア語**（現在の北イングランドと低地スコットランドで話されていた言語）は、ケルト語派の同じグループに属する少し遠い親戚のようなものだ。

　ブルトン語はフランス北西部の**ブルターニュ**で使われているが、ここでも次第に話者が減ってきている。20世紀半ばには100万人の**ブルトン人**がブルトン語で話していたが、21世紀初めには約20万人に減少した（日常的に使っているのは３万5000人にすぎない）ため、ユネスコはブルトン語を「消滅危機言語」のリストに載せた。話者が減少した理由としては、フランスの中央集権化が進んだこと、フランス語メディアによる影響力が強いことなどが挙げられる。興味深いのは、親が子どもにブルトン語の名前をつける権利を与えられたのが20世紀末になってからだったという点だ。

ブルターニュ南部の都市バンヌ
（ブルトン語ではグウィネド）。

## ケルト語派の言語島の共通点と相違点

『星の王子さま』の翻訳を見れば、ケルト語派に属するさまざまな言語の共通点と相違点がわかるだろう。

### アイルランド語：

*Maise, a phrionsa bhig, a stór, fuair mé tuigbhéail de réir a chéile don chumha a bhí ort i do shaol beag scoite. Ní raibh de chaitheamh aimsire ar feadh i bhfad ach an ghrian ag dul faoi agus a cineáltacht. Fuair mé an sonra nua seo amach ar maidin an cheathrú lá nuair a dúirt tú: Is maith liom an ghrian ag dul faoi.*

### マン島語：

*O Phrince Veg! Ny vegganyn hooar mee briaght er folliaghtyn dty vea ôney hrimshagh. Ry-foddey dy hraa cha r'ou goaill taitnys ayns red erbee er-lhimmey jeh lhie ny greïney. Hooar mee shen magh er moghrey yn wheiggoo laa, tra dooyrt oo rhym: Ta mee feer ghraihagh er jeeaghyn er y ghrian goll sheese.*

### スコットランド・ゲール語：

*O, a phrionnsa bhig! Beag is beag thuig mi mar a bha do bheatha bheag dhubhach. Fad ùine mhòr cha robh dibhearsain agad ach a bhith a' coimhead caoineachas dol fodha na grèine. B' e rud ùr a bha sin a fhuair mi a-mach air madainn a' cheathramh latha, nuair a thuirt thu rium: Is fìor thoil leam dol fodha na grèine.*

### ウェールズ語：

*Dywysog bach! O dipyn i beth felly fe ddes i ddeall dy fywyd bach trist di. Doeddet ti ddim wedi cael dim i'th ddifyrru di ers amser ond mwynder machlud yr haul. Fe ddysgais i'r ffaith newydd hon ar fore'r pedwerydd diwrnod, pan ddwedaist wrthyf i: Rwy'n hoffi machlud yr haul.*

## コーンウォール語：

A! Pennsevik byhan, my re gonvedhas, tamm ha tamm, dha vewnans byhan moredhek. Dres termyn hir nyns esa dhis didhan vyth marnas medhelder sedhesow an howl. My a dhyskas an manylyon nowyth ma, myttinweyth y'n peswara dydh, pan leversys dhymm: Da yw genev sedhesow an howl.

## ブルトン語：

A! priñs bihan, komprenet 'm eus, tamm-ha-tamm, da vuhezig velkonius. E-pad pell ne 'z poa bet evel didu nemet c'hwekted ar c'huzh-heol. Desket 'm eus ar munud nevez-se d'ar pevare deiz, d'ar beure, pa 'c'h eus lavaret din: Me 'blij din ar c'huzh-heol.

# その他のインド・ヨーロッパ語族の言語島

## アルバニア語の言語島

**アルバニア語**はインド・ヨーロッパ語族の木から伸びる独立した１本の枝で、現在使われている言語とも、既に消滅した言語とも一切関連が見つかっていない。この言語の起源については諸説あるが、いくつかの古バルカン語（**イリュリア語**、**トラキア語**または**ダキア・モエシア語**。どれも実態があまり知られていない）が合わさって発展したものであることは確かだ。現在の話者はおよそ800万人で、アルバニアのほか世界各地に離散している。アルバニア語の言語島をいくつか挙げてみよう。

- ●クロアチアのアドリア海沿岸にある**ザダル**。夏のリゾート地として有名な都市だ。郊外に**アルバナシ**（アルバニア人の古い呼称）という地域があり、アルバニア民族をルーツとする住人が多いことからそう名づけられた。
- ●ブルガリア南部の、ギリシャとの国境にある村**マンドリツァ**。現在の村人はわずか70人（主に年配者）で、そのほとんどがアルバニア語を話す。
- ●ギリシャのテッサロニキから北へ30キロの位置にある**マンドレス村**。アルバニア人のなかには、マンドリツァからこの村へ移住した家族もいる。

18世紀と19世紀にオスマン軍の兵士としてエジプトに赴いたアルバニア人の子孫が約1万人、戦争で荒廃したシリアに今も住んでいる。そのなかにアルバニア語を話す者はいない。

## アアルバニティック語

　バルカン半島の最南端、ギリシャの古代**アテネ**周辺や**ペロポネソス半島**に**アアルバニティー**という民族が大勢暮らしている。彼らは**アアルバニティック語**（アアルバニティック語では**アルバリシュト**）を話し、自分たち民族のことは**アルバレシュ**と呼んでいる。さまざまな推測によると（ギリシャは国内の少数民族の存在を認めていないため、国勢調査の項目に含まれていない）、現在は5万〜20万人のアアルバニティーがいるが、実質的には全員ギリシャ社会に同化している。実際、たいていのアアルバニティーは、「ギリシャ人ではない」などと言われようものなら気分を害するだろうし、オスマン・トルコの支配からギリシャを解放するために最前線で戦った人も多い。

　アアルバニティーは現在のアルバニアを起源とし、15世紀にギリシャへ移住した。アアルバニティック語は存続を危ぶまれる言語だ。若者のほとんどはギリシャ語に切り替えており、母語を子どもに伝えたいという気持ちも、伝える能力もないだろう。

## アルバレシュ語

　アルバニア人のなかには、もう 1 つ、さらに大きなグループがある。強大な オスマン帝国が 15 世紀に侵攻してくる前に国を逃れて海を越え、**南イタリア** へ渡った人々だ。今日このグループのメンバーは 25 万人を超え、アペニン半 島南部とシチリアの 50 の村に暮らしている。そのうち**アルバレシュ**という民 族集団の約 10 万人が、古くから受け継がれてきた**アルバレシュ語**を話す。ギ リシャにいる同胞とは異なり、イタリアのアルバニア人はイタリアを愛しつつ も自らのルーツを誇りにしている。

　現在イタリアに住むアルバニア人のほとんどは、イタロ・アルバニアン教会 という自治教会の信徒である。この教会は昔ながらのビザンチン（正教）教会 の典礼を順守しているが、ローマ教皇を最高位者として認めている。

　**ルングロ**は、カラブリア州のアルバレシュ人にとって重要な民族的・宗教的 中心地で、イタリア最大の国立公園、ポッリーノ国立公園の中にある。15 世 紀末に現在のアルバニア南部から逃れてきた人々が築いた都市だ。住民 3500 人のほとんどがアルバレシュ人で、あらゆる場面でアルバレシュ語が日常的に 使われている。

　アルバレシュ人にとってもう 1 つ大切な場所がシチリア西部にある。人口 6000 人以上の**ピアーナ・デッリ・アルバネージ**（アルバレシュ語では**ホラ・エ・ アルバレシャベト**）という町である。ここは現在、シチリアで最も重要なアル バレシュ文化の中心地であり、イタリア全土で最大のアルバレシュ人居住地で もある。住民たちは先祖から受け継いだ言語、そして数多くの風習を 5 世紀 以上にわたり伝えてきた。

　ピアーナ・デッリ・アルバネージは完全にバイリンガルな町で、交通標識を はじめとする表示はほぼすべてイタリア語とアルバレシュ語で併記されてい る。地元の学校やメディアでも両方の言語が使われている。

　50 あるアルバレシュ人の村のなかで、特に目を引くのが**バッカリッツォ・ アルバネーゼ**と**サン・ジョルジョ・アルバネーゼ**である（アルバレシュ語では、 それぞれ**バカリツィ**と**ムブザティ**）。2 つの村はイタリアの "長靴" の底の部 分にあり、3000 人が**バッカリッツォ・アルバニア語**または**カラブリア・ア**

アルバレシュの民族衣装を飾るベルトのバックル。シチリアのピアーナ・デッリ・アルバネージにて。

**ルバレシュ語**と呼ばれるアルバレシュ語の方言を使う。この方言で特筆すべき
は、古い形が非常に多く残っていること、そして、アルバニア南部の**トスク方
言**から生まれたにもかかわらず、アルバニア北部の**ゲグ方言**の特徴が多く見ら
れることだ。

## ウクライナのアルバニア人

　ウクライナに住むアルバニア人は自分たち民族を**ガ・タンタ**（「われわれの
ところの」の意）と呼び、自分たちの言語を**シ・ネベ**（「われわれのように」）
と呼ぶ。彼らは主に、ウクライナ南部の沿岸にある**ブジャク**と**ザポリージャ**に
住んでいる。

　アルバニアの正教徒たちは、オスマン・トルコの圧制から逃れるためブルガ
リアに移住し、そこからさらに、ブルガリア人とガガウズ人（テュルク系の正
教徒）とともにドナウ・デルタのほうへ、そしてロシア帝国の南端へと向かっ
た。19 世紀初め、アルバニア人は最初の居住地を現在のウクライナに築いた。
それが**カラクルト**（極めて危険な毒グモの名に由来する）という村だ。現在カ
ラクルトの人口は約 3000 人で、60% をアルバニア系が占める（25% はブ
ルガリア、10% はガガウズ）。ここでアルバニア語が使われていることは極め
て明白だ。

　19 世紀後半、カラクルトのアルバニア人の一部がさらに東へ向かうことを
決め、アゾフ海近くのザポリージャに小さな村をいくつかつくった。それが**ヘ
オルヒイウカ**、**ハーミウカ**、**ディーウネンスケ**である。これらの村では今もア
ルバニア語を耳にすることができ、地元のアルバニア文化を紹介する博物館も
ある。アルバニアではラテン文字を使ってアルバニア語を書くが、ウクライナ
のアルバニア人は通常キリル文字を使って書く。ウクライナには、アルバニア
語で授業を行う学校はない。

# アルメニア語の言語島

　**アルメニア語**には、**東アルメニア語**と**西アルメニア語**という 2 つの形があり、書き言葉も話し言葉も相互に理解が可能である。東アルメニア語はアルメニアの首都**エレバン**の言語をもとにしたもので、現在は主にアルメニア、旧ソ連、イランの一部で使われている。西アルメニア語は現在の**トルコ**に住んでいたアルメニア人の言語がベースになっており、1915 年のアルメニア人虐殺をきっかけに世界各地へ離散したアルメニア人は主にこの言語を使う。当時、80 万〜150 万人のアルメニア人がオスマン帝国軍によって強制的に移住させられたり、殺害されたりした。生き残ったアルメニア人は中東、ヨーロッパ、北アメリカの各地に離散し、それとともに西アルメニア語も離散した。トルコ共和国はアルメニア人虐殺があったことを否定している。そうして離散したアルメニア人のほかにも、西アルメニア語、具体的には**カリン方言**を話す人は、アルメニア北西部とジョージア南部にいる。アルメニア語の小さな言語島には、クリミアの**アイカバン**（アルメニア語では**ハイカバン**）、ロシアの**エディシヤ**、ジョージアから事実上独立した状態にあるアブハジアの**スフミ**地区などがある。

# ワクフル（トルコ）

　**ワクフル**（アルメニア語では**バクフ**）は、トルコで唯一アルメニア人だけが暮らす村で、トルコとシリアの国境に近い地中海沿岸のムサ・ダー山（アルメニア語ではムサ・レル、「モーゼの山」の意）の山腹にある。血塗られた1915年をワクフル村が生き抜くことができたのは、地の利のおかげだろう。アルメニア人は人を寄せつけないこの山にこもり、53日間にわたってトルコの猛攻撃を果敢に耐え抜いた。戦闘中、アルメニア人は海に面した山の斜面の木々に大きな旗を掲げ、それがフランス船の水夫たちの目にとまった。フランスとの合意が成立し、ムサ・ダーのアルメニア人は船で安全な場所へと移された。この戦いののち、アルメニアの7つの村の住人は故郷に帰されたが、**ハタイ**と呼ばれるこの地域はフランスの統治下に置かれ、アルメニア人を含むキリスト教徒の安全が保障されることになった。

　だが、1939年に状況が一変する。第二次世界大戦前夜、フランスはトルコを味方に引き入れることを期待してハタイをトルコに譲り渡した。ムサ・ダーがトルコ領になると、アルメニアの6つの村の住人は再び移住することになった。今度はレバノン東部のベカー高原へ向かい、その地に**アンジャル**というアルメニア人の都市をつくった。だが唯一ワクフルの住人たちは再度住まいを捨てることを望まなかったため、この村はトルコ全土で唯一のアルメニア人の村として残ることになった。もっとも、20世紀初め頃、トルコ領内にはまだ数百万のアルメニア人が住んでいた。

　今日130人のアルメニア人がワクフルに暮らし、西アルメニア語の一方言を話している。ただし西アルメニア語を話すほかの人たちがこの方言を理解するのは難しい。

# アンジャル（レバノン）

　レバノン東部、ベカー高原の町**アンジャル**（**アーンジャル**または**フウシュ・ムサ**とも）は、この中東の国で最も重要な農業地帯にある。史料によると、8世紀に町が築かれたが、20世紀を迎える頃に放棄された。その町はしばらく無人のままだったが、1939年にムサ・ダーからアルメニア難民が何千人も流入し、捨ててきた母国の村の名を町の数カ所につけた。現在この町には2500人近い住民がいて、その大多数がアルメニア人である。

　1960年代、アンジャルは順調に発展したが、レバノン内戦が起きるとその勢いは削がれた。内戦終結後アンジャルは以前にも増して発展を遂げ、犯罪率の低さ、空気のきれいさ、生活水準の高さでレバノン全体の模範となった。現在、アンジャルにはアルメニア教会と学校があり、あらゆる場面でアルメニア語が盛んに使われている。興味深いことに、アンジャルには独自の警察があり、レバノン内務省の管轄下にあるほかの町の警察とは異なり、町の行政機関に直属している。

レバノンのアンジャルに古代から残る石のアーチの列。

# ファリーダン（イラン）

　イラン中央のエスファハーン州にある**ファリーダン**地域には、大勢のアルメニア人が住んでいる。彼らは、現在アルメニア、イラン、トルコに囲まれたアゼルバイジャンの包領となっているナヒチェバン出身の人々の子孫である。17世紀、この地を治めていたサファヴィー朝のアッバース大帝は、反乱を起こした罰としてナヒチェバンの人々を故郷からジュルファ（アルメニア語ではジュガ）の町へ追放した。ジュルファは巨大なアルメニア人墓地があることで知られていたが、これはソビエト連邦崩壊後に破壊された。現在、アルメニアの村で民族的に均質のところは1つしかない。ペルシャ語で**ザルネ**、アルメニア語で**ボロラン**と呼ばれるこの村は、エスファハーン市から150キロほど西にあり、約60人の住民がいる。

　エスファハーンにはアルメニア人地区があり、最初のアルメニア人の出身地に敬意を表して**ニュー・ジュルファ**と呼ばれている。現在エスファハーン市には1万人をわずかに超えるアルメニア人が住んでいると推定される（市の総人口は150万人以上）。ニュー・ジュルファには、アルメニアの学校が1つあるほか、アルメニア教会や博物館などの施設もたくさんある。この地区のアルメニア人はイランの法や服装に関する規定を尊重しているが、イランの法と行政の保護を受け、特に支障なく自分たちの言語と伝統を守っている。

イラン、エスファハーン市にあるニュー・ジュルファの聖救世主大聖堂内部。天国と地上と地獄が描かれている。

# ケッサブ（シリア）

　**ケッサブ**の町は、シリア北部の沿岸、トルコとの国境にある。住んでいるのは、主にアルメニアをルーツとする人々だ。この町にとって、そしてアルメニア系の人々が暮らす多くの場所にとって、20世紀の幕開けは最悪だった。1909年、アダナの虐殺が起こり、トルコ南部の都市**アダナ**とその周辺のケッサブなどで、アルメニア人をはじめキリスト教徒が2万人以上殺された。そのわずか6年後にアルメニア人虐殺が始まる。この時期、ケッサブとその周辺地域に住んでいた大勢のアルメニア人は死の行進を強いられた。全家族がシリアやヨルダンの砂漠を歩かされ、その最中に5000人以上が命を失ったのだ。

　ケッサブ周辺の村に住んでいるのは主にアルメニア人で、西アルメニア語の一方言を話す。ケッサブには、アルメニア語で授業を行う学校もある。統計によると、現在ケッサブとその周辺の村々の住民は2500人で、そのうち80%がアルメニア人、20%がアラウィー派のアラブ人である。

　2011年にシリア内戦が始まるまで、豊かな緑の森が広がる丘や谷に囲まれたケッサブは、アレッポとラタキアの住人にとって、夏のリゾート地として人気の場所だった。

## グレンデール（米国カリフォルニア州）

　地球の反対側に目を移すと、米国カリフォルニア州ロサンゼルスの中心街から北にわずか 15 キロのところに**グレンデール**という都市がある。国勢調査によると、グレンデールの住民約 20 万人のうち 6 万 5000 人あまりがアルメニア系で、そのほぼ全員がアルメニア語を使う。

　この地域にアルメニア人が住むようになったのは 1920 年代半ばだが、移民者が最も多かったのは 1970 年代だ。アルメニア人はすっかりグレンデールに溶け込んでいるが（ロサンゼルス郡に住む 15 万人超のアルメニア系の住人についても同じことが言えるが）、自分たちの言語や伝統を忘れたわけではない。子どもたちが先祖の言語を身につけるための手厚い支援をしている学校や、文化的な組織もいくつかあり、昔ながらの伝統が失われないよう努めている。現在グレンデールは、アルメニアの首都エレバンに次いで世界で 2 番目にアルメニア人の多い自治体だと考えられている。

　アルメニア系アメリカ人のロックバンド、システム・オブ・ア・ダウンのサージ・タンキアン（ボーカル）とシャボ・オダジアン（ベーシスト）は、いわば「北米におけるアルメニアの首都」のようなこの都市にしばらく住んでいた。

# サン・ラッツァーロ・デッリ・アルメーニ（イタリア）

**サン・ラッツァーロ・デッリ・アルメーニ（サン・ラザロ島）**は広さ３ヘクタールの島で、ベネチアから２キロ離れたラグーンにある。この島は1717年にサン・ラザロ修道院の所有となり、その時期に土地の埋め立てが行われて面積が４倍近くに広がった。

サン・ラザロ島に暮らすのはごく少数の修道士のみだが（現在は20人に満たず、知られている限り１度に100人を超えたことはない）、それでも、アルメニアの文化とアルメニア語の研究にとって非常に重要な場所だと考えられている。初めて完成したアルメニア語辞典も、初めて記されたアルメニア人の近代史も、18世紀にこの島で編纂された。

また、島の修道士たちは、修道院の庭で育ったバラの花びらをふんだんに使って、「バルタヌシュ」というジャムをつくっている。バラの花びらでつくるアルメニアのジャムはとても名高く、ほとんどは修道士たちが自分で食べるが、修道院の売店でも販売している。

イタリア、ベネチアにあるサン・ラッツァーロ・デッリ・アルメーニ。

# ギリシャ語の言語島

　**ギリシャ語**はアルバニア語、アルメニア語と同じく、インド・ヨーロッパ語族の木の独立した1本の枝である。文字の残る言語としては、インド・ヨーロッパ語族の言語のなかで最も歴史が長い。現存する最古の文字資料は約3400年前に書かれたものだ。言語島となっているギリシャ人居住地はいくつかある。

- **マリウポリ**は、ウクライナにおけるギリシャ語（**マリウポリ・ギリシャ語。ルメイカ**とも）とギリシャ文化の中心地だ。**アナドル**村では、今も純粋な**ギリシャ語ポントス方言**が話されている。マリウポリ近郊に住む**ウルム人**はギリシャ正教徒で、**クリミア・タタール語**の方言、**ウルム語**を話す。
- **ベロヤニス村**は、ハンガリーの首都ブダペストから南へわずか数キロの位置にある。1950年にギリシャ人有志によってつくられた村で、全部で1200人の住民のおよそ4分の1がギリシャ系だ。村の名は、ギリシャ共産党の指導者の1人だったニコス・ベロヤニスにちなんでいる。

# ツァコン語

　ペロポネソス半島の東の沿岸地域は**ツァコニア**と呼ばれている。10 ほどの町や村があり、住民の多くは**ツァコン語**を話す。ツァコン語はギリシャ語の 1 つに分類されてはいるが、ほかのギリシャ語の方言のどれともかなり異なっている。実際、言語学的には別の言語だとみなすこともできるだろう。現代ギリシャ語を話す人にはほとんど理解できないからだ。

　ツァコン語が離脱した理由は、ギリシャ語がたどった長い歴史にある。紀元前 1150 年頃、イピロス（現在はギリシャとアルバニアの国境に当たる地域）を起源とするギリシャの一部族**ドーリア人**がギリシャ南部に侵攻を始め、ペロポネソス半島の南岸までたどり着いた。そして、彼らが使っていた**ギリシャ語ドーリス方言**が、占領した地域にもたらされた。この方言を使っていた都市国家として最も有名なのが**スパルタ**だ。だが、スパルタ、そしてスパルタと手を結んだほかのドーリア人たちの勢力にもかかわらず、言語的な支配権を握ったのはアテネだった。そして、アテネで使われていた**ギリシャ語アッティカ方言**が今日のギリシャ語の基盤となり、ドーリス方言はやがて消滅してしまう。ただ 1 つ、ペロポネソス半島の孤立した小さな地域を除いては……。もうおわかりだろう。ツァコン語こそ、かつては広く使われていたドーリス方言を今に伝える唯一の言語なのだ。とはいえ、2000 年以上生き延びてきたツァコン語も、今では消滅危機言語となっている。理由の 1 つは、過去数十年でテレビをはじめとする現代のメディアにアクセスしやすくなり、人里離れた孤村にも標準ギリシャ語が届きやすくなったことだ。

　今日では、**レオニディオ**（ツァコン語では**アギエ・リディ**）という町がツァコニアの中心地とみなされ、ますます多くの旅行者が、町の至るところに保存されている古い建物や、それを取り巻く美しい自然を楽しんでいる。

「われわれの言語はツァコン語です。出会った人に、ツァコン語を話してほしいと頼んでみてください」。2 つの言語（ツァコン語と標準ギリシャ語）で書かれた、ギリシャのレオニディオの表示板。

# グリコ語

　イタリアの"長靴"の南端には、ギリシャ語の言語島があと2つ──"つま先"と"かかと"の部分にある。かかとに位置する**サレント半島**には10ほどの町があり、ここには大勢のギリシャ語話者がいて、4万人の住人の半数近くが**グリコ語**を第1言語として話す。この地域は**グレチア・サレンティーナ**とも呼ばれている。ギリシャ人居住地が集まっているもう1つの（ずっと小さな）地域は、長靴のつま先の先端に当たる部分──カラブリア州にある。**グレコ語**というギリシャ語の方言を話す2000人足らずの人々が、**グレチア・カラブラ**または**ボベシア**と呼ばれる地域にある10ほどの村に住んでいる。グリコ語とグレコ語は、どちらもいわゆる**イタリオット・ギリシャ方言**で、標準ギリシャ語を話す人なら部分的に理解できる。

　イタリア南部のギリシャ人の起源については2つの説がある。ただし、最も正確なのは、この2つを組み合わせたものだろう。

● 現在暮らすギリシャ系住民は、紀元前8世紀、ギリシャの都市国家が**マグナ・グラエキア**（大ギリシャ）と呼ばれる多数の植民地をイタリア南部とシチリアに築いたときに移住してきた人々の子孫である。
● これらの方言は、15世紀にビザンチン帝国が滅んでオスマン・トルコの支配が始まった時期のギリシャ語にもとづいている。

　イタリアは、ギリシャ語を話す少数派が存在することと、彼らの言語を保護する義務があることを国として認めているが、それでもユネスコは、グリコ語は深刻な状態にあると判断している。文化的な面での良い兆候は、グリコ語による歌や音楽や詩がイタリアとギリシャで非常に人気が高いことだ。長靴のかかとに住むギリシャ人たちは団結してグレチア・サレンティーナ自治体連合を結成した。この組織は、グリコ語・グリコ文化の研究と保護を行うこと、学校でグリコ語の授業を行うこと、深刻な状態にあるこの言語で本を出版することを目的に活動している。

## ルーマニアのギリシャ人

　現在のルーマニアに当たる地域にギリシャ人居住地が初めて誕生したのは、紀元前 7 世紀、ギリシャの都市国家の植民地や貿易拠点が築かれたときのことだ。この頃、ギリシャ人たちは**トミス**（現在はルーマニアの主要な港湾都市コンスタンツァ）も築いた。人が定住する都市としては、ルーマニアで最古の地である。

　ルーマニアのギリシャ人にとって最も重要な時期は、おそらく 18 世紀から 19 世紀にかけての、いわゆる**ファナリオティス**の時代だろう。ファナリオティスはファナル（現在のフェネル）を拠点としたギリシャの特権階級の人々で、コンスタンティノープル（現在のイスタンブール）の一部であるファナルには総主教座が置かれていた。ファナリオティスは、属国だったモルダビアとワラキアの統治者など非常に重要な地位を歴任してきた。この 2 国はのちに統合されてルーマニアとなったが、その後もファナオリティスの子孫は政治や経済で重要な役割を担い続けた。

　今日、ルーマニアでギリシャ語を話す人は 7000 人に満たない。20 世紀末には 2 万人のギリシャ人がいたので、ルーマニアへの同化と国外移住がいかに早く進んだかがわかる。ギリシャ人の割合が最も高いのは、ドナウ・デルタからそう遠くない**イズボアレレ**だ。3 つの村からなる自治体で、住民は 2000 人強。そのうち 55% がルーマニア人、45% がギリシャ人だ。イズボアレレは、トルコの支配に対する反乱ののちトルコ・トラキア（トルコ語ではドーウ・トラキヤ、トルコ内のヨーロッパ大陸に位置する地域）から逃げてきたギリシャ人によって、1828 年につくられた自治体だ。彼らはこの地で新しい生活を始め、学校と教会も自分たちの手で建てた。ルーマニアの共産政権の独裁者、ニコラエ・チャウシェスクにより公の場でギリシャ語を使うことは禁じられたが、イズボアレレの住人たちは今でも独自の古風な言語を守っている。

# アル・ハミディヤ（シリア）

　　**ビザンチン帝国**の滅亡から 400 年近くの間、現在のギリシャに当たる地域のほとんどはトルコの支配下にあったが、19 世紀前半、独立国家であるギリシャ王国が成立した。新たに誕生したギリシャ王国に含まれずに残った地域のなかに、クレタ島という大きな島があった。

　　19 世紀後半、クレタ島では再び反乱が起こり、19 世紀末に激化して、ギリシャ正教徒と、トルコ人およびその他のイスラム教徒の間で血なまぐさい戦いが繰り広げられた。この「その他のイスラム教徒」こそが、本項の主役である。クレタ島で暮らす彼らはイスラム教を受け入れたギリシャ人の子孫だったが、ギリシャ語を使い続け、自分たちはギリシャ人だという意識を持ち続けていた。だがギリシャ正教徒たちは彼らを裏切り者とみなし、敵として扱った。オスマン帝国のスルタン、アブデュルハミト 2 世はクレタにおけるトルコの支配が終わったことを悟ると、トルコ人と「その他のイスラム教徒」に島からの撤退を命じた。今でも、クレタ島のイスラム教徒の子孫が主に**ギリシャ語クレタ方言**を話す地域が 1 つある。シリアの**アル・ハミディヤ**という町だ。

　　アル・ハミディヤはシリア沿岸部の最南端、レバノンとの国境のすぐそばにあり、創設者を称えてそう名づけられた。現在の人口は 8000 人で、そのうち少なくとも 60% が日常のコミュニケーションにギリシャ語を使っている。子どもたちの多くは学校に入って初めてアラビア語に触れる。

　　クレタ島がシリアの海岸に比較的近いため、アル・ハミディヤのギリシャ人はギリシャのテレビやラジオの番組を視聴することができ、そのことが母語を高いレベルで維持するうえで大いに役立っている。ただし話し言葉には、標準ギリシャ語では既に廃れて使われなくなった語彙や、アラビア語からの借用語が多く使われている。

## カッパドキア・ギリシャ語

　1071 年、トルコとイランの国境からそう遠くない場所でマラズギルトの戦いが起きた。この戦いでビザンチン帝国は（トルコの）**セルジューク朝**に大敗し、その結果、トルコ系民族がアナトリアのほぼ全域に急進出した。それによって、**カッパドキア**（現在のトルコの南東部）は、ビザンチン帝国のほかのギリシャ語圏と物理的に隔てられることになる。何世紀もの間この地域で暮らしていたギリシャ人は、今やトルコ人の支配と言語を受け入れることを余儀なくされた。こうして、ギリシャ語のカッパドキア方言がトルコ語と混じり合い、**カッパドキア・ギリシャ語**が生まれたのである。

　1923 年にギリシャとトルコの住民を交換することが合意されると、トルコにいたキリスト教徒は全員ギリシャへ、ギリシャのイスラム教徒はトルコへと移住させられた。カッパドキア・ギリシャ人も例外ではなく、主にギリシャ北部へ移住させられた。学校、本、メディア、行政、すべてにおいてもっぱら現代ギリシャ語が使われたため、カッパドキア・ギリシャ語は 1960 年代初めには早くも消滅してしまった。もしくは、そう思われていた。

　ところが 2005 年、ギリシャ北部で調査を行っていた研究者たちは、カッパドキア・ギリシャ語が消滅などしていないことに気づいた。ギリシャの北の国境沿いにあるいくつかの村で、3000 人近くがこの珍しいギリシャ語を日常的に使用していたのだ。異例なことはもう 1 つあった。若い世代のカッパドキア・ギリシャ人の多くが、なんと親よりも上手にこの言語を話しているではないか。カッパドキア・ギリシャ語の話者が比較的多い居住地は、ラリッサ近郊の**マンドラ**と、テッサロニキ近くの**クシロホリ**だ。

　ハリウッドとブロードウェーで最も重要な監督・演出家の 1 人、エリア・カザンはカッパドキア・ギリシャ人だった。1963 年の映画『アメリカ アメリカ』で、カザンは実のおじの経験をもとに、ギリシャ人のカッパドキアでの生活の厳しさを描いている。この作品は、アメリカ議会図書館のアメリカ国立フィルム登録簿が毎年選出する 25 本の注目すべき映画の 1 つに選ばれた。

# サンスクリット語の言語島

　インドの二大叙事詩、『マハーバーラタ』と『ラーマーヤナ』は、**古典サンスクリット語**で書かれている。これは、インド北部の文筆家や詩人が紀元前４世紀から紀元後３世紀まで用いていた言語だ。その時代の終焉は、会話に使われる生きた言語としてのサンスクリット語の発展の終焉を意味していた。しかし、宗教的および伝統的な儀式においては、インド全土や近隣の国々で今もサンスクリット語が使われている。

　現在、サンスクリット語（サンスクリット語ではサンスクリタム）を教える学校は**インド**に数多く存在し、興味深いことに、ここ数十年間で、いくつかの村が日常生活でもほぼ完全にサンスクリット語に切り替えることを決めた。今では、公私を問わずあらゆる場面でサンスクリット語を使う村がいくつかある。

　現在、サンスクリット語はインドの 22 の公用語（指定言語）の１つで、北部のヒマーチャル・プラデーシュ州とウッタラーカンド州では、サンスクリット語が第２公用語と定められている。同国の国勢調査によれば、14 億人近い人口のうちサンスクリット語を自身の母語と考える人は２万 5000 人である。

　カルナータカ州のほぼ中央に位置する**マトゥル**と**ホサハリ**は、トゥンガ川を挟んで向かい合う一対の村だ。2 つの村の住民は 1980 年代半ばまで**カンナダ語**とタミル語を話していたが、地元のとある僧侶がサンスクリット語に切り替えることを提案した。村人たちはこの提案を受け入れ、村のあちこちで Katham aasthi?（サンスクリット語で「お元気ですか？」の意）というあいさつが聞かれるようになった。人口 5000 人のマトゥルは、サンスクリット語を復興させる試みにおいて、インドで最も重要な居住地なのだ。

# ヒンディー語の言語島

　**ヒンドゥスターニー語**はインド・ヨーロッパ語族の言語で、古代サンスクリットを基盤とし、中世にデリーとその周辺で使われていた方言から発達した。ヒンドゥスターニー語は複数中心地言語（標準的な形が複数ある言語）で、相互にほぼ理解可能な標準形が 2 つ（標準**ヒンディー語**と標準**ウルドゥー語**）ある。ヒンドゥスターニー語は、**標準中国語**と英語に次いで、世界で 3 番目に広く話されている言語だ。

　インドが英国の支配下にあった頃、大勢のインド人が**大英帝国**のほかの植民地に移住した。19 世紀末から 20 世紀初頭にかけて、何万というインド人労働者が当時英国植民地だった**フィジー諸島**に連れていかれた。労働者たちの多くは、北部のヒンディー語の方言、主に**アワディー語**と**ボージュプリー語**を話し、そこから**フィジー・ヒンディー語**（現在ほとんどのインド系フィジー人が使っている言語）が発達した。

　フィジーで暴動や軍事クーデターが頻発したとき、インド系住民は決まって攻撃を受けたため、フィジーを離れてオーストラリア、ニュージーランド、カナダ、米国へ移住する人が多かった。現在、フィジーの人口における比率はフィジー系が 55%、インド系が 38% となっている。

フィジーのナンディにあるスリー・シバ・スブラマニヤ寺院。太平洋地域で最大のヒンドゥー寺院だ。

インド人労働者は、フィジーの広大なサトウキビのプランテーションだけでなく、中南米カリブの島々や、その近くの南アメリカ沿岸部にも連れていかれた。やがて、ヒンディー語のもう1つの方言、**カリブ・ヒンドゥスターニー語**が生まれた。地域によって呼び方はさまざまだが、以下の国々に話者がいる。

- **ガイアナ**では、インド系住民30万人の多数が**ガイアナ・ヒンドゥスターニー語**、別名**アイリ・ガイリ**を使う。
- **トリニダード・トバゴ**では、1万5000人が**トリニダード・ヒンドゥスターニー語**、別名**ガオン・ケ・ボレ**（「村の言葉」の意）を話す。トリニダード・トバゴにはおよそ1万人のインド系住民がいて、標準ヒンディー語のほか、**ヒングリッシュ**（「ヒンドゥー」＋「イングリッシュ」）を使う者も次第に増えている。
- **スリナム**では、人口の4分の1強を占めるインド系スリナム人が、**スリナム・ヒンドゥスターニー語**を私的な場で用いている。

スリナムのパラマリボにある記念碑。最初のインド系移民に捧げられたものだ。

**モーリシャス**はインド洋に浮かぶ島国で、アフリカ東海岸から沖に約2000キロ、マダガスカルからは900キロの距離にある。フィジーやカリブ諸島と同じく、プランテーションで大勢のインド人が働いていた。現在、モーリシャスの人口のわずか5%がインド北部のヒンディー語の方言、ボージュプリー語を使っている。この言語の話者のほとんどは高年齢層であり、特に島の農村地帯に住む人が多い。

モーリシャスの紙幣。中央の文字は英語、タミル語、ボージュプリー語で書かれている。

　もう1つ19世紀のインド人が向かった先が**南アフリカ共和国**である。当時は、この地も大英帝国の一部だった。移住者には医者や弁護士など高い教育を受けた人も多く、そのなかに、やがて最も偉大な公民権運動家として世界に名を馳せる弁護士がいた。モーハンダース・カラムチャンド・ガンディーである。彼は、南アフリカの貧しい人々のはく奪された権利を回復するために闘い、そこからマハトマ（サンスクリット語で「偉大なる魂」の意）というおなじみの尊称を与えられた。

　現在、インド系南アフリカ人は約150万人にのぼり、そのほとんどはクワズール・ナタール州に集中し、**フェニックス**（総人口18万人の85%）、**トンガート**（同4万3000人の57%）などインド系の住人が多数を占める都市もいくつかある。後者は南アフリカ最古のインド人居住地で、近くのサトウキビのプランテーションで働く労働者のため1860年につくられた。

# ヤグノブ語

**ソグド**はイランの古代文明で、現在のタジキスタン、ウズベキスタン、キルギス、それにカザフスタンの最南端の地域に広がっていた。イスラム教がソグドの都市国家に浸透すると、それまでこの地域で優勢だった宗教（主にゾロアスター教）は新しい宗教に取って代わられていく。新たな宗教とともに新たな言語（**ペルシャ語**）も流入し、やがて**ソグド語**に代わって使われるようになった。

だが、ソグド人の小さなグループは、宗教が変わるときに起こりがちな暴力を避けようと、現在のタジキスタン中部および西部に当たる人里離れた高地の谷へ逃げ込んだ。その子孫は最終的にイスラム教を受け入れたが、それでも、近代化したソグド語の一種である**ヤグノブ語**を使い続けた。

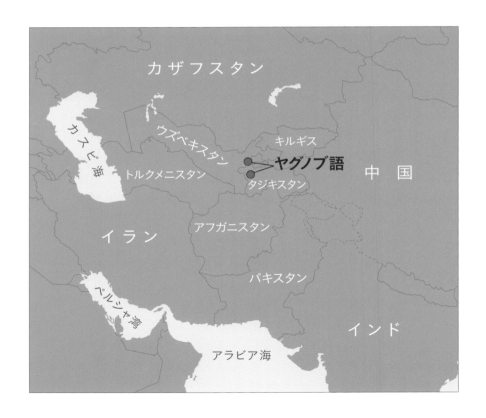

ヤグノブの人々。

ヤグノブ語は**東イラン語群**の言語で、今日ではタジキスタン西部の数カ所と、首都ドゥシャンベに近い小さな地域のいくつかで話されている。現在、ヤグノブ人は約1万3000人いる。ヤグノブ人の起源は、ドゥシャンベの北約70キロ、標高2500〜3000メートルにある**ヤグノブ渓谷**だ。

　ヤグノブ人にとって最も過酷だった時代はおそらく、1970年代にソビエト政府が彼らを強制移住させると決めたときだろう（タジキスタンは1990年までソビエト連邦の一部だった）。危険な雪崩から彼らを守るため、というのが口実だった。新たな住まいとなったのは、タジキスタン北西部の**ザファロバード地区**という完全に孤立した地域で、今では約6500人のヤグノブ人が暮らしている。タジキスタンの独立宣言後、ようやくヤグノブ渓谷へ帰ることが認められたが、これを受け入れたヤグノブ人は500人に満たなかった。かつての故郷はソ連軍に破壊されてしまっていたからだ。

ヤグノブの子どもたち。

世界各地の言語島

# オセアニア

オセアニアは広大な地域で、オーストラリア、ニュージーランド、そして太平洋の島々のほとんどを含む。オーストラリア以外の島々は、さらにメラネシア、ミクロネシア、ポリネシアという3つの地域に分けられる。これらすべてを結ぶのが世界最大の海、太平洋だ。

オセアニアでは非常に数多くの言語が話されている。最も広く用いられているのは宗主国の言語──主に英語とフランス語だが、それ以外の言語のほとんどは3つの大きな語族に分けることができる。

- **オーストロネシア語族**は話者数3億9000万人を誇る大きな語族で、マダガスカル、東南アジアの島嶼部や台湾の一部地域から、太平洋に浮かぶ無数の島々に至るまで、広い範囲で使われている。この語族で最大の言語は**マレー語**で、マレーシア、インドネシア、ブルネイ、シンガポールに2億9000万人の話者がいる。
- **オーストラリア先住民諸語**の言語は、オーストラリアがヨーロッパに植民地化されるまではおよそ300も存在していたが、現在は150も残っていない。今でも1000人以上の話者を持つ言語はわずか20で、語族全体の話者数は5万人をわずかに超える程度である。
- **パプア諸語**はニューギニア島とその周囲の小さな島々で使われている。

これら数多くの言語のなかに、興味深い言語島がいくつかある。

太 平 洋

**ハワイ語** ●

ミクロネシア

パプア
ニュー
ギニア

メラネシア

●**プカプカ語**

ポリネシア

**ライト・**
**ワルピリ語** ●

オーストラリア

●**ノーフォーク語**

**ピトケアン語**●

**ラパ・ヌイ語**●

ニュージーランド

**パラワ・**
**カニ語** ●

●**モリオリ語**

# ハワイ語

　ハワイ語（ハワイ語では**オレロ・ハワイ**）は北太平洋の**ハワイ諸島**に住む**ハワイ先住民**（ハワイ語では**カナカ・マオリ**）の言語で、オーストロネシア語族の言語の1つだ。現在のハワイ先住民の祖先は、1300年頃に南太平洋のソシエテ諸島（現在はフランス領ポリネシアの一部）からハワイにやって来たと考えられている。米国ハワイ州の公用語は英語とハワイ語だが、ハワイ語を話すハワイ人は2万5000人足らずしかいない。

　**ニイハウ島**は、ハワイ諸島の居住者がいる7つの島のなかで最も小さく（面積180平方キロ）、最も西に位置する島だ。19世紀半ばに個人の所有となって以来、「禁断の島」と呼ばれている。理由は単純明快。所有者の許可を得た人か、軍人と役人しか足を踏み入れられないからだ。

　2010年の国勢調査によれば、ニイハウ島の人口は170人で、住人たちはハワイ語の**ニイハウ方言**を話している。島が孤立した状態にあるおかげで、ハワイ語がヨーロッパと初めて接触する前の形に最も近い言葉だ。

　この島で唯一の居住地プウワイ（ハワイ語で「心臓」を意味する）には、教室が1つしかない校舎があり、全学年合わせて20〜30人の生徒が通っている。初等教育の間はニイハウ方言が使われるが、その後はハワイ語と英語が同等に使われる。島には電力ネットワークがないため、学校は太陽エネルギーで発電した電気を利用している。電話線や舗装道路もなく、主な交通手段は馬か自転車だ。下水設備もないため、島民は雨水をためて生活用水にしている。ホテルはなく、わずかな訪問者は地元の住民との接触を禁じられている。そして住人は地代を払う必要がなく、無料で肉をもらえる。

　興味深いことに、ハワイの住民の多くは英語とハワイ語が混ざった**ハワイ・クレオール英語**（HCE。**ハワイ・ピジン英語**とも）を日常の打ち解けた会話で使っている。HCEの話者はハワイ語の話者よりずっと多く、第1言語として話す人が約60万人、第2言語として使っている人が40万人いる。

　本書で何度も引用してきた『星の王子さま』をハワイの言語で見てみよう。

## ハワイ語：

*Auē! e ke keiki ali'i li'ili'i, 'ano maopopo nō ia'u i kēia manawa ka minamina o kou ola. 'A'ole i lō'ihi loa kou nanea 'ana i ka nani o ka napo'o 'ana o ka lā. Ua a'o wau i kēia 'ike hou i ka 'ahā o ka lā i kakahiaka, i kou wā i 'ōlelo mai ai ia'u: Makemake nōwau i ka napo'o 'ana o ka lā.*

## ハワイ・クレオール英語：

*Kay den, small prince, so I had catch, slow by slow, how sad yo life. You neva have long time fo enjoy da sunsets. I had learn dis on da fourt morning when you had tell me: Ho, you know me, I love sunsets.*

禁断の島、ニイハウ島。

# ピトケアン語とノーフォーク語

　航海士フレッチャー・クリスチャンは、1789 年 4 月 28 日にバウンティ号の反乱を起こしたとき、それが新しい言語の誕生につながるなどとは思いもしなかっただろう。

　18 世紀末期、英国を出航したバウンティ号は南太平洋の島、タヒチへ向かった。任務は、パンノキの苗をタヒチからジャマイカへ運ぶことだ。船員たちはタヒチで数カ月休養をとったが、天国のような浜辺とタヒチ人によるもてなしを堪能し、この島を離れるのがいやになってしまった。出港後まもなく、船上でフレッチャー・クリスチャン率いる反乱が起こり、バウンティ号はタヒチへ引き返す。そこで船員 16 人が船を降り、反逆者 9 人、タヒチの女性 13 人、タヒチの男性 6 人はさらに東へと船を走らせ、**ピトケアン島**に着いた。この島を選んだのは実に妙案だった。当時の海図では、ピトケアン島は実際の位置から約 200 キロ離れたところに記されていたため、英国の船が反乱者たちを見つけ出す可能性は限りなく低かったのだ。

　ピトケアン島が孤島だったことで、18 世紀の英語とタヒチ語が混ざった言語が発展し、新たな言語の誕生につながった。**ピトケアン語**と名づけられたこの言語は、今ではピトケアン島の主な言語として、島で唯一の学校で教えられ、50 人の住民全員が使っている。しかし、実はピトケアン語発祥の島からはるか遠くの**ノーフォーク島**に、この言語の話者がもっとたくさんいる。それには次のような事情がある。1856 年、イギリス当局は住民が増えてピトケアン島が狭くなりすぎたことに気づき、住民全員（200 人近く）をノーフォーク島へ移住させたのだ。それからの 10 年でピトケアン島に戻る選択をした家族もあったが、現在でもノーフォーク島の住人の半数以上はバウンティ号の反乱者の子孫である。

　オーストラリアの外部領土であるノーフォーク島では、この言語は**ノーフォーク語**と呼ばれ、全島民 1800 人のうち約 1000 人が話している。ノーフォーク島特別地域（ノーフォーク語ではテラトリ・ア・ノーフック・アイレン）を訪れる観光客は多く、この言語もまた、次第に英語からの影響が濃くなっている。

アダムスタウンのプラウ学校。ピトケアン島唯一の学校である。

# ラパ・ヌイ語

**イースター島**（ラパ・ヌイ語ではラパ・ヌイ）は、太平洋の南東に浮かぶチリ領の小さな孤島で、何百体もの巨大な石像、モアイで有名だ。この像は、13世紀初めに海を越えてこの島にやって来た、現在の**ラパ・ヌイ族**の祖先がつくったものだ。やがて彼らは独自の文化、神話、伝統を築き、今日まで独自の言語を継承してきたが、長い歴史のなかでヨーロッパ人との衝突、ペルーでの奴隷生活、命にかかわる病気の数々など、さまざまな困難に見舞われた。現在の島民は約 6000 人で、およそ 60% が先住民ラパ・ヌイ族の子孫だ。残念なことに、ラパ・ヌイ語を話す者は 1000 人もいない。

ラパ・ヌイ語は、かつて**ロンゴロンゴ**という文字で書き記されていたと考えられている。何度か解読が試みられたものの、いまだ成功に至らず、本当に文字なのか、それとも文字のように見えるだけで何かの記号にすぎないのかもわかっていない。現在、ロンゴロンゴが書かれた文字板はラパ・ヌイ島には 1 つもない。どれも、持ち去られて世界各地の博物館や個人コレクションに収められているからだ。

ロンゴロンゴが記された文字板の 1 つ。文字板 G またはサンティアゴ小文字板と呼ばれている。

# プカプカ語

　**クック諸島**は内政自治権を持つ島で、ニュージーランドと自由連合関係にある。防衛と外交のみニュージーランドが責任を負うということになっている。クック諸島の住民は約1万7500人で、英語、**クック諸島マオリ語（ニュージーランドのマオリ語**に非常に近い）、そして**プカプカ語**を話す。

　プカプカ語はオーストロネシア語族という大きな語族に属し、クック諸島の主島であるラロトンガ島から1200キロほど離れたところにある絶海の孤島、**プカプカ島**で発展した。プカプカ語という名の由来となったこの島は「テ・ウル・オ・テ・ワトゥ（石の頭）」と呼ばれ、主な居住地のことを「ワレ（家）」という。島の総面積は3平方キロで、住人は500人足らずだ。全員が地元の言葉であるプカプカ語を話し、1980年代からは島の学校でこの言語を教えるようになった。

　最も興味深いのは色を表す言葉だ。ある情報によると、プカプカ語に色の名前は白、黒、赤、そして黄色と青と緑が組み合わさった色の4つしかない。これらの名前は島民の主食である植物、タロイモに由来する。タロイモの根の断面にいつもこれらの色が現れるのだ。

プカプカ環礁。

# ライト・ワルピリ語

　**ワルピリ語**は、オーストラリアの先住民語に含まれる語族のなかで最大の**パマ・ニュンガン語族**に属する言語である。現在この言語を話すのは**ワルピリ族**のうち 3000 人だけ（民族全体の半数以下）だ。このコミュニティーの人々は、ノーザンテリトリーのアリス・スプリングス市の北部と西部にある集落や町に住み、自分たちのことを「人」を意味する**ヤパ**と呼ぶ。だが、上記の居住地の 1 つ、**ラジャマヌ**は、ほかとは一線を画している。ここは、**ライト・ワルピリ語**が話されている唯一の場所なのだ。

　ライト・ワルピリ語（ライト・ワルピリ語では**ワルピリ・ランパク**）は混成語で、ラジャマヌの若い世代が、ワルピリ語と英語とオーストラリア・クリオル語の3 言語の語彙と文法規則を混ぜ合わせて生み出したものだ。この言語が生まれたのは1980 年代なので、今ではライト・ワルピリ語を第 1 言語とする人もいる。ラジャマヌの住民は 700 人近くいるが、その半数以上（主に 40 歳未満の人々）が日常的にライト・ワルピリ語を話している（ただし書くときには使わない）。もちろん全員が標準ワルピリ語を知っているし、オーストラリア・クリオル語と英語の両方を知っている人も多い。

　ラジャマヌがほかの居住地から遠く離れていることが、この新しい言語の誕生に大きく影響した。これはインターネットが登場する前の“大昔”にはとりわけ大きな要因だった。この独特の共通語があるおかげで若者たちのコミュニティーに対する帰属意識が高まり、この言語を子どもたちに教えようという動きにもつながっている。

　この特徴ある言語のほか、ラジャマヌは大勢のアーティストを輩出していることでも有名だ。彼らは木や石などの素材に刻んだ作品を、小さな共同ギャラリーで、そしてオーストラリア全土でも展示している。

# パラワ・カニ語

　19世紀初めにヨーロッパ人が初めてオーストラリアの**タスマニア島**に到着したとき、1万人近いタスマニア人がその地に住んでいた。だが、激しい紛争やヨーロッパ人が持ち込んだ伝染病により、まもなく先住民はほとんどいなくなってしまった。残った数百人は、タスマニアの北にある小さな島、**フリンダース島**に移住させられた。先住民の話す言語は数が多く、相互に理解できなかったため、タスマニア人はいくつもの言語を混ぜ合わせ、いわゆる**フリンダース島共通語**をつくらざるを得なかった。残念ながら、移住後にタスマニア諸語の数は急減し、異なる民族との結婚や英語への切り替えも進んだため、フリンダース島共通語でさえ20世紀初めには消えてしまったと考えられていた。

　だが、2018年のオーストラリア映画『ナイチンゲール』には、タスマニアの言語を話す人物が何人か登場する。この血と暴力に満ちた（19世紀のタスマニアはまさにそうだった）映画で使われたのは、本物のタスマニアの言語だったのか、それとも、新しくつくられた言語だったのだろうか。答えは、いずれも「イエス」だ。使われたのは**パラワ・カニ語**である。

　パラワ・カニ語は人工言語で、すべてのタスマニア諸語、主に島の東側で話されていた言語から、集められるだけの語を集めてつくり上げたものだ。ベースになったのは、タスマニアの諸民族の言語で使われている語の一覧、それに近年の話者の声を収めた少数の録音だった。こうして、タスマニアの諸言語のどれか1つではなく、すべてを1つにまとめた言語として誕生したのがパラワ・カニ語なのである。ルトルウィット（パラワ・カニ語でタスマニアのこと）当局は、いくつかの地名については英語とパラワ・カニ語の両方を使うことを認めている。例えばウェリントン山は、パラワ・カニ語ではクナニとなる。

　パラワ・カニ語は順調に発展し、今では、小さな子どもが先祖の言語（に極めて近い言語）で得意げに数を数えるのを耳にすることも次第に増えてきた。

| **1** | **2** | **3** | **4** | **5** |
|---|---|---|---|---|
| pama | paya | luwa | wulya | mara |
| **6** | **7** | **8** | **9** | **10** |
| nana | tura | pula | tali | kati |

# モリオリ語

**モリオリ方言**または**モリオリ語**は**チャタム諸島**（モリオリ語では**レコフ**、「霧がかかった空」の意）の先住民によって話されている。この諸島はニュージーランド領で、南島からおよそ 800 キロ東にある。

**モリオリ人**は**マオリ**を起源とする民族である。彼らの祖先は 1500 年頃にニュージーランドを離れチャタム諸島で暮らすようになり、この地で新しい言語をつくった。**マオリ語**を話す人なら、この言語を部分的に理解できるだろう。また、木の幹に彫刻を施すなどの新しい伝統も発展させ、徹底して平和主義の生活を送るようになった。こうした生活様式の根底にあるのが「ヌヌクの法則」だ。16 世紀のモリオリの首長ヌヌク・フェヌアは戦争、殺人、カニバリズムを一切禁じていた。モリオリ人は平和に暮らしていたが、19 世紀半ば、マオリ人 900 人の集団がこの孤島にやって来て、ニュージーランド本土に起源を持つ遠い親戚に当たる人々を大勢殺し、残った人たちは奴隷にして、独自の言語を使うことを禁じた。

そしてモリオリ語（モリオリ語では**テ・レ・モリオリ**）は消滅してしまったが、最近、復活させようとする運動が見られるようになった。辞書とよく使う単語のリストがつくられたほか、若い世代が平和を愛した祖先の言語を学ぶのを奨励するため、スマートフォンのアプリも開発されている。

モリオリの彫刻。通常は木に刻まれる。

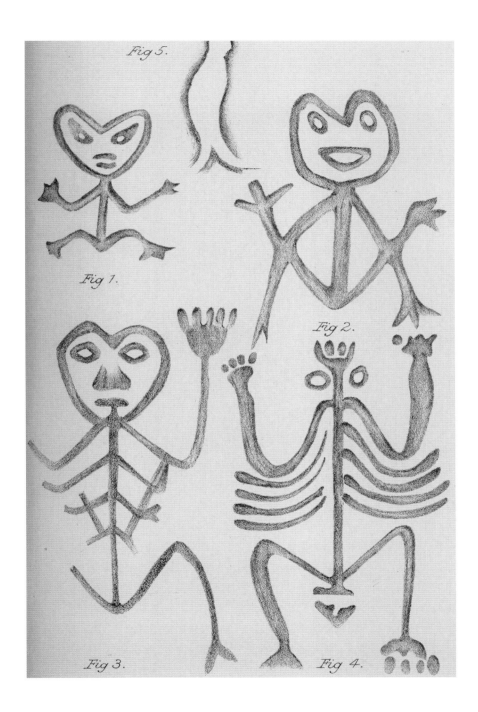

Fig 5.

Fig 1.

Fig 2.

Fig 3.

Fig 4.

# 東アジア

# 八丈語

　**八丈島**は、日本の南方のフィリピン海に浮かぶ島だ。そこから 1200 キロ離れたところに、**大東島**（**大東諸島**）という小さな群島がある。遠く離れた八丈島と大東島は共通の言語で結ばれているが、それは標準的な**日本語**ではない。

　**八丈語**（話者は**島言葉**と呼ぶ）は、日本語の非常に特殊な方言であるとも言えるし、あるいは**日琉語族**に属する独立した小さな言語であるとも言える。かつて使われていた**上代東国方言**を今に伝える最後の言語であり、独特な語彙があること、古い要素を数多く残していることが特徴だ。現在は、八丈島と、その近くの**青ヶ島**で話されている。八丈島は、中世には政敵や反逆者の流刑先と

なっていた。この島々が甚だしく孤立していることは古い言語を守るうえで役に立ってきたが、今では八丈語は危険な状態にあると考えられている。八丈島（面積約 70 平方キロ）には 7500 人が暮らし、そのうち数百人（ほとんどは年配者）がこの言語を話す。青ヶ島（約 9 平方キロ）の住人は約 170 人で、ほぼ全員がこの古い方言を話す。

　大東諸島は**沖縄島**から約 350 キロの位置にある。この諸島の存在が知られるようになったのは数百年前で、長いこと領有されることも人が住むこともなかったが、19 世紀の末期、正式に**大日本帝国**の領土となった。当時の大東諸島では、サトウキビを栽培するために八丈語の話者数十人が暮らしていた。この集団によって八丈語が大東諸島に持ち込まれ、今日もなお大勢の島民に話されている。

八丈島の特徴的な玉石垣。

# 済州語

　済州特別自治道は、「道」という韓国の9つの行政区域のなかで最も南に位置し、自治権を持つ唯一の区域である。済州島という大きな島（面積 1800 平方キロ以上、人口 70 万人）と、いくつかの小さめの島からなる。済州島の中央にそびえる標高 1950 メートルの漢拏山（はるらさん）は韓国の最高峰だ。

　済州島と済州特別自治道の住民およそ 5000 人は、韓国のほかの場所と異なる言語を話している。この言語は島の名にちなんで済州語と呼ばれるが、話者たちは**チェジュ・マル**（「済州の言葉」の意）と呼んでいる。日本の**大阪市**に済州島出身の移民たちの大きなコミュニティーがあり、そこでも多くの人が祖先から受け継いだこの言語を使っている。

　大半の韓国人は、たとえ朝鮮半島最南端の出身者であっても、済州語を理解するのは非常に難しい。理由の1つとして、済州島には 15 世紀まで日本語または関連する日琉語族の言語を話す人々が住んでいたことが挙げられる。15 世紀と 16 世紀に大勢の朝鮮民族がこの地で暮らすようになると、それまでの住人が使っていた言葉は押され気味になっていくが、それは日琉語族の言語が朝鮮から移って来た人々の言語に影響を与えて新しい言語が生まれたあとだったのだ。また、13 世紀から 14 世紀にかけてモンゴル人の王朝である元が中国と朝鮮半島を支配した時期、済州島には大勢のモンゴル兵が駐留していたが、半自治的な状態にあった朝鮮にはモンゴル軍は置かれず、そのこともこの島の言語に大きな影響を与えた。

　済州島の独自性は、トルハルバン（トルは**朝鮮語**で「石」、ハルバンは済州語で「おじいさん」を意味する）という石像にも見てとれる。この石像は神を表しており、優しいおじいさんのような穏やかな笑みによって人々をあらゆる危険から守ってくれる。済州島のトルハルバンとイースター島（ラパ・ヌイ）のモアイには似たところがある。

韓国の済州島のトルハルバン。

# 台湾諸語

　オーストロネシア語族は世界の語族のなかでも最も広い範囲で使われている語族の１つで、数千年前に**台湾島**から広まり始めた。現在オーストロネシア語族の言語が話されている地域は４つの島に囲まれている。北は台湾、西はマダガスカル、東はイースター島、南はチャタム島だ。この語族は 10 の語派に分かれ、そのうち９つの語派は台湾島だけで話されているが（55 万人）、残る１つの語派——**マラヨ・ポリネシア語派**はインド洋と太平洋に浮かぶ数百の島々、そして東南アジアの大陸部でも使われている。話者は３億 8500 万人で、言語数は 1200 以上になる。

　総人口 2500 万人の台湾島で使われている９つの語派は、ふつう**台湾（フォルモサ）諸語**と呼ばれている。「フォルモサ」はポルトガル語に由来する台湾の古い呼称だ。遠くから台湾を初めて目にしたポルトガルの船乗りが、ポルトガル語で「美しい島」を意味する「イリャ・フォルモサ！」と叫んだからだと言われている。かつてはこの島全体で台湾諸語が話されていたが、中国の諸民族が住むようになった結果、今では台湾の先住民は総人口の 2.5％ 未満となっている。台湾諸語には 25 以上の言語があるが、そのうち 10 は既に消滅し、5 つは消滅の危機にある。

　**蘭嶼**（中国語読みでは**ラン・ユー**）は台湾の南東 65 キロの距離にある島だ。広さは 45 平方キロで住人は 5000 人強、そのうち 800 人は漢民族で、残りはオーストロネシア系の**タオ人**だ。

　蘭嶼に住むタオ人のほとんどは、オーストロネシア語族の言語である**タオ語**（タオ語では**チリチリン・ノ・タオ**といい「人間の言葉」を意味する。中国語では**雅美語**とも）を話す。蘭嶼は距離的には台湾島に近いが、タオ語は台湾諸語ではなく**マラヨ・ポリネシア語派**の言語である。この語派のなかでタオ語が属する**バタン諸語**は、フィリピンから台湾島まで連なる島々で話されている方言の連続体で、この島々の最北端にあるのが蘭嶼だ。タオ人は 4000 年ほど前に台湾島からこの島へ移り住んだことが、遺伝子解析で確認されている。

台湾のテーマパーク、九族文化村にあるタオ族の舟。

# サリコル語

**イラン語群**は、ふつう主に2つのグループに分けられる。1つは**西イラン語群**で、その最大の言語はペルシャ語（アフガニスタンの**ダリー語**、タジキスタンの**タジク語**を含む）と**クルド語**だ。もう1つは**東イラン語群**で、最も重要な言語は**パシュトー語**（**プシュトゥー語**または**アフガン語**とも）と**オセット語**である。東イラン語群のほとんどは、アフガニスタンとタジキスタン、それにパキスタンと中国のいくつかの小さな地域で話されている。**パミール諸語**（東イラン語群の1グループ）は、主にパミール高原およびその周辺——大部分はタジキスタン領で話されている。10ほどの言語や方言があり、パミール諸語全体で約10万人の話者がいるが、どれも消滅危機言語だ。

すべてのイラン語群のうち最も東に分布しているのが**サリコル語**で、話者数は2万人だ。この言語は、イラン語群のなかで唯一、中国——もっと具体的に言うと、新疆南部の**タシュクルガン・タジク自治県**を本拠地とする。この自治県は中国とタジキスタンの国境と堂々たるサリコル山脈に沿った地域にあり、その県都タシュクルガンはかつてサリコルと呼ばれた王国の首府だった。サリコル語は、中国では公式にはタジク語（塔吉克語）と呼ばれているが、隣国タジキスタンの公用語であるタジク語との関係は、かなり遠い。実際、サリコル語が東イラン語群に含まれるのに対し、タジク語は西イラン語群に属する。

サリコル語の公式な表記法は定まっていないが、**ウイグル語の改良アラビア文字**が使われるようになりつつある。サリコルの子どもたちが通う学校で**ウイグル語**を介して授業が行われていることを考えれば、奇妙な話ではない*。ほかの言語を話す人との間では、中国語とウイグル語が使われる。サリコル語の話者には、少数だがパキスタンが実効支配する**カシミール地方**に住む人もいる。

2500年以上前の墓地での考古学上の発見から、現在のタシュクルガン・タジク自治県に当たる地域は、古代宗教のゾロアスター教が最初に信仰された地、さらには、今も信仰されている宗教としては世界最古のゾロアスター教が誕生した地ではないかと考えられている。この墓地では、宗教儀礼のために大麻が使われたことを示す最古の証拠と思われるものも見つかった。

*2010年代中盤よりウイグル語による教育は当局によって禁じられている。

# 満 洲 語

満洲は中国北東部の歴史的な地域で、満洲人の源郷だ。満洲人は1000万人以上いて、ツングース系民族で最大の民族であり、中国の少数民族のなかでも最大級のグループである。12世紀から中国で帝政が廃止される1912年まで、中国最後の統一王朝（1644〜1912年）である清を含め、満洲人の王朝が何度か中国を支配した。

満洲人の支配者とエリート層は支配した地域に自分たちの言語を持ち込んだが、すぐに中国語を使うようになった。その結果、首都北京では急速に満洲語が使われなくなり、それにつれて満洲における満洲語も少しずつ衰退していった。数世紀を経た今では、1000万人の満洲人のうち、この言語を流暢に話すのは楽観的に見積もってもたった100人にも満たない。現在、満洲語（満洲語ではマンジュ・ギスン）の話者が最も多く住んでいるのは、中国北東部の黒龍江省にある三家子（サンジアズ）という比較的孤立した村だ。この村には1000人以上暮らしており、民族的には65%が満洲人だが、満洲語を話すのは、最も高齢の年長者らのみである。

18世紀末、シベという満洲の大集団が中国の西の果てへ移住させられた。彼らの多くは今日までその地で暮らしている。それが現在のチャプチャル・シベ自治県で、住民16万人のうち6万人以上がシベ人である。シベの人々が話すシベ語は満洲語の方言の1つで、満洲語に比べ中国語の影響はさほど強くないが、ロシア語からの借用語もいくらかある。シベ語を書くときに用いられるのは満洲文字を改良したものだ。現在、チャプチャル・シベ自治県にはシベ語を教える学校もあり、この方言による新聞、ラジオやテレビの番組もいくつかある。また、満洲や中国のほかの地域から、多くの人がこの地を訪れる。ネイティブ・スピーカーと一緒に過ごすことで、かつての王朝の言語に関する知識を深めるためだ。

# シンガポール内のタイの飛び地

　シンガポールは同名の島にある都市国家で、マレーシアとインドネシアの間にある。この国が位置するマラッカ海峡は、世界で最も往来の激しい海路の1つだ。シンガポール共和国の総面積は 730 平方キロ弱（奄美大島と同じくらい）で、人口は 5700 万人、そのうちシンガポール国民は 61% だ。公用語は英語、マレー語、**標準中国語**、タミル語だが、シンガポールの内部にさえミニサイズの言語島が存在する余地は十分にある。

　**ゴールデンマイル・コンプレックス**はシンガポールの中央にある住居および商業ビルで、ブルータリズムという建築様式で建てられ、1973 年に完成した。このビルには数百の店舗や事務所、それに居住用の部屋がたくさんあるが、古びてきたため、取り壊して 1.3 ヘクタール（4000 坪）のこの地を新たに開発しようという提案もなされてきた。

　だが、この複合ビルが特別なのは、シンガポールにおける**タイ**の飛び地のような場所になっているという点だ。ビル内の店のオーナーや入居者の多くはタイ出身で、低層階を占めるショッピングモールには、タイ料理のレストラン、タイ旅行を手配する旅行代理店、タイ製品を扱う店、タイの音楽を聴かせるクラブ（地元の人々の間ではサイアム・デューと呼ばれている。サイアムはタイの旧国名）が並ぶ。この巨大なビルの通称が「リトル・タイランド」なのも不思議ではない。

シンガポールのゴールデンマイル・コンプレックス。

# 西アジア

## ハンティ語とマンシ語

　**ハンティ・マンシ自治管区・ユグラ**はロシア内の自治管区だ。西シベリア平原の中央にあり、経済的にはロシアで最も重要な地域の1つである。ロシアの石油の50%以上がこの地域で生産されるからだ。ユグラの人口は約150万人だが、この自治管区の名前の由来となった2つの民族、**ハンティ人**と**マンシ人**が占める割合は、現在ではわずか2%にすぎない。

　話者の数こそ少ないが、ハンティ人とマンシ人は今もなおそれぞれの言語が忘れ去られないようにしている。2つの言語はよく似ていて、どちらもウラル語族である。この語族の話者は約2500万人で、主にアジア北部からヨーロッ

パにまたがる広い範囲で話されている。

　**ハンティ語**は、かつて**オスチャーク語**と呼ばれていた言語だ。現在の話者は9000人ほど（ロシア全土のハンティ人は総数3万1000人）で、ほとんどは西シベリアに住んでいる。この言語には15以上の方言がある。

　**マンシ語**はハンティ語に最も近い言語だが、1万2000人のマンシ人のうち、この言語を話すのは1000人に満たない。この言語もいくつかの方言に分かれており、違う方言の話者同士が相手の言葉を理解するのはかなり難しい。言い伝えによれば、古代のマンシ人戦士はヘラジカに乗って敵との戦いに赴いたという。

　現在、ハンティ人とマンシ人はキリル文字を改良したものを使って自分たちの言語を書き表している。一方、中央ヨーロッパで彼らに近い言語を話すグループのなかには、ルーン文字のような文字を使う人々がいる。多くの（全員ではない）言語学者の見解によれば、ハンティ語とマンシ語はハンガリー語と系統関係にあるという。ハンガリーでは、今でも**古ハンガリー文字**（ハンガリー語では**ロバーシュ文字**）、別名**ハンガリー・ルーン文字**を使う人がいる。ルーン文字と言っても、ゲルマンのルーン文字とはまったく関係がない。実はこの文字は、8世紀から10世紀に中央アジアに存在していた初期のトルコ人国家で使われていた**突厥文字**を起源としているのだ。

ウクライナの都市の入り口にある表示。ロシア語（キリル文字）とハンガリー語（ラテン文字と「ルーン文字」）で書かれている。

# ドンガン語

　回族（フイ族）は中国の少数民族として認められているが、民族的にも言語的にも漢民族とつながりがある。回族を別の民族集団として扱うのは、彼らがイスラム教を信仰しているからだ。回族はほぼ全員が中国語だけを話すが、イスラムの宗教儀礼を行うのに必要なアラビア語とペルシャ語の単語はいくらか知っている。旧ソビエト連邦と中国の新疆ウイグル自治区では、回族は**ドンガン**と呼ばれているが、自称はフイ（ドンガン語では**フエイズ**）である。

　**ドンガン語**（ドンガン語では**フエイズ・ユーヤン**）は**シナ語派**（**漢語派**）に属し、今日では中央アジア、正確には**フェルガナ盆地**と**チュイ渓谷**に暮らす 10 万人以上が話している。フェルガナ盆地はタジキスタン北部、ウズベキスタン東部、キルギス南部にまたがって広がり、チュイ渓谷はキルギス北部とカザフスタン南部を占めている。ドンガン語は中国の甘粛省と陝西省の**中国語**方言がもとになっている。キリル文字を使う漢語派の言語はドンガン語だけだ。以前は**小児経**という文字が使われていた。これは、ペルソ・アラビア文字を標準中国語に転用した特殊な文字である。キルギスで発行されている『回民報』は、標準中国語の一種であるこの言語による世界で唯一の新聞だ。

　ドンガン語は孤立しているため古い形を多くとどめているが、周囲の影響によりペルシャ語、ロシア語、トルコ語からの借用語もある。現在、ドンガン語と各種の中国語諸方言の間では、互いに理解できる範囲は限られている。

　ドンガンの人々は、19 世紀後半、清朝に対する蜂起が失敗に終わったあと、中国北西部から現在住んでいる地域に移ってきたと考えられている。

# クムザール語

ムサンダム特別行政区は、オマーンを構成する 11 の行政区の 1 つだ。戦略的に重要なムサンダム半島（アラビア半島とイランの間のホルムズ海峡を通過する石油タンカーの通行を監視している）と、アラブ首長国連邦（UAE）に囲まれたオマーンの小さな飛び地であるマダ県（このオマーンの飛び地の中に、さらに UAE の飛び地であるナワがある）からなる。ムサンダム特別行政区全体もまた UAE の領土で本国から隔てられているため、オマーンの飛び地となっている。

ムサンダム半島の北端に**クムザール**（**クムザ**）という村があり、数千人が**クムザール語**を話している。アラビア半島で使われている言語のなかで唯一のイラン語群の言語、そしてセム語派でない唯一の言語だ。近くにあるイラン領の**ララク島**にも少数の話者が住んでいる。クムザール語はペルシャ語によく似ているが、**アラビア語**から多くの語彙を借用している（アラビア語はオマーンの、そしてアラビア半島に存在するほかのすべての国の公用語なので、意外なことではない）。残念ながら、この言語は消滅の危機に直面している。若者のほとんどは、もっとメリットの多いアラビア語を学んだり使ったりしたがるからだ。クムザール語で授業を行う学校はなく、公的な文書に使われることもない。

**クムザール人**はイスラム教徒だが、民間信仰にもとづく風習もいくつか有している。クムザール村の住人のほとんどは、寒い時期しかこの村に住まない。夏が来て耐えがたい暑さになると、村人たちはムサンダム特別行政区の主都**ハサブ**へ移動し、クムザール人の集まる地区の家で暮らす。

オマーン、クムザール村。

# 南アラビア諸語

　アフロ・アジア語族は巨大な語族で、このグループに属する 300 の言語が北アフリカと中東で話されている。アフロ・アジア語族のなかで最も広範囲で使われているのは**セム語派**で、第 1 言語レベルで話す人が 3 億 3000 万人以上いる。セム語派は、いくつかの下位グループに分けられる。**東セム諸語**（このグループの言語ははるか昔に消滅している）、**中央セム諸語**（最も重要な言語はアラビア語、**ヘブライ語**など）、**南セム諸語**（さらに**エチオピア・セム諸語**、消滅した**古代南アラビア語**、**現代南アラビア諸語**に分けられる）だ。

　古代南アラビア語は消滅してしまったが、その子孫に当たるとされる以下の 2 言語が今も使われている。

- ●**ラジフ語**：イエメン北西部にある**ラージフ山（ジャバル・ラージフ）**の周辺に暮らす約 6 万人が話す。ラジフ語の起源について、専門家の見解は 2 つに分かれている。1 つは「ラジフ語はアラビア語の一種で、古代南アラビア語の影響を強く受けたものだ」という意見。もう 1 つは「古代南アラビア語の直接の子孫であり、そこにアラビア語からの借用語彙や文法規則が加わった」とする意見だ。
- ●**ファイフィ語**：古代南アラビア語の流れをくんでいる可能性のある言語で、現在は、サウジアラビア南西部、ラージフ山から 40 キロのところにある**ファイフ山（ジャバル・ファイファ）**の周辺で、5 万人がこの言語を話している。

　この 2 つの言語はどちらも消滅の危機にあると考えられている。若い話者たちが急速にアラビア語に切り替えたり、より良い仕事を求めてこの地域を去ったりしているからだ。アラビア語のメディアに触れやすくなったことも、このような相対的に小さい言語の立場を危うくしている。

伝統的な花の帽子をかぶった男性と、ファイフ山の典型的な集落。

　現代南アラビア諸語はセム祖語の特徴をいくつか残す言語で、現在は**イエメン**と**オマーン**で使われている。系統的に最も近いのはエチオピアとエリトリアで話されているセム語派の諸言語であり、その次に近いのが古代南アラビア語である。今日使われている現代南アラビア諸語には次のような言語がある。

- **マフリ語**：オマーンとイエメンに約 16 万 5000 人の話者がいる。
- **ソコトラ語**：アラビア半島とアフリカの角の間にあるイエメン領の**ソコトラ群島**に暮らす 7 万人が話す。この群島は孤立しているためソコトラ語は妨げられることなく発展し、今ではほかの現代南アラビア諸語にはない特徴がいくつか見られるようになった。それでも、ソコトラ語は消滅危機言語とされている。本土から大勢の移民が入ってきて、次第にアラビア語が広まりつつあるからだ。国の見解によれば、ソコトラ語はアラビア語の方言にすぎず、独立した言語ではないとされている。
- **シャフラ語**：オマーン南部の、イエメンとの国境近くに住む 2 万 5000 人が使う。

# ゾロアスター・ダリー語

　**ゾロアスター・ダリー語**は西イラン語群のなかの北西語群に属する方言の1つで、イランの中心部で暮らす約8000人から1万5000人のゾロアスター教徒が使う言語だ。7世紀にイスラム教徒がペルシャ帝国を征服するまで、ゾロアスター教は何世紀もの間、この古代帝国で最も信奉されていた宗教である。現在、ほとんどの話者はイランの**ヤズド**と**ケルマーン**の両都市およびその周辺に住んでいる。ゾロアスター・ダリー語は、ペルシャ語の方言でありアフガニスタンの2つの公用語の1つである**ダリー語**（もう1つの公用語はパシュトー語）と名前は似ているが、近縁ではない。

　ゾロアスター・ダリー語は**ベフディーナーン語**（「よき宗教の人々の言語」の意）とも呼ばれ、主に2つの方言に分けられる。ヤズド近郊で話されている**ヤズド方言**と、ケルマーン周辺で話されている**ケルマーン方言**だ。ヤズド方言はさらに30近くの方言に分けることができる。興味深いことに、これらの方言はいずれもヤズドにある1つのゾロアスター教地区で話されているのだが、互いに理解するのが難しい。ヤズド方言、ケルマーン方言のどちらも消滅の危機にあり、特にケルマーン方言は完全に消滅する寸前である。

　ヤズド市には拝火神殿がある。古くから伝わるゾロアスター教の信者や神殿はほとんどがインドに集中し、インド以外に現存する神殿はわずか30しかないが、この神殿はその1つだ。また、ヤズドにはダクマ（沈黙の塔）という円筒形の塔もある。かつてはこの塔の上で、死者の亡骸を猛禽類に食べさせる「鳥葬」が行われていた。ゾロアスター教で神聖とされる大地や水や空気を、土葬や火葬によってけがさないためだったが、ダクマがこの目的で使われることはもうない。

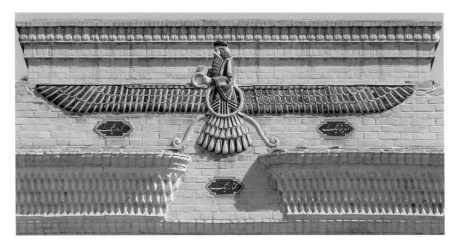

ゾロアスター教のシンボルで、イランの国の象徴でもあるファラバハル。ヤズドの拝火神殿の一部。

イランのヤズドにあるゾロアスター教の拝火神殿。

# ブラーフーイー語

　ドラビダ語族は、現在インド南部とスリランカ北部で話されている基本的な語族の1つだ。この語族に属する言語の話者数は2億2000万人を超え、特に話者数が多いのが、テルグ語（8400万人）、タミル語（7500万人）、カンナダ語（4300万人）の3つである。ドラビダ語族は主にインド亜大陸の南に集中しているが、なかには1500キロ離れた地域——パキスタン南部を故郷に選んだ人たちもいる。

　**ブラーフーイー語**はドラビダ語族の言語で、パキスタンの**バローチスターン州**の中央部に暮らす同名の民族数十万人が使っている。**ブラーフーイー人**がどのようにしてこの場所に住むようになったかはわかっていないが、最も信頼に足る説が2つある。1つは、「ブラーフーイー人は、現在のイランから来たドラビダ語族の言語を話す人々のうち、何らかの理由でインド南部への旅を中断して、この地に留まった人々の子孫だ」とする説。もう1つは、「ブラーフーイー人はほかのドラビダ系の人々と一緒にインド南部に住み着いたが、ある時点で、先祖の土地だとされる場所に引き返すことにした」という説だ。

　知られている限り、ブラーフーイー語は、ドラビダ語族のなかで唯一、**ブラーフミー文字**を用いたことがなく、ペルソ・アラビア文字を使う言語である。最近になって、この言語をラテン文字で書き表す方法（ブロリクバ：Brahui Roman Likvar の略）が考案された。バローチスターン州の州都クエッタでは、ブラーフーイー語による唯一の日刊紙および週刊紙『タラール』が発行されている。

　現在、少数のブラーフーイー族が**メルブ**に暮らしている。ここはトルクメニスタン南東部のマルという都市の近くに位置し、「メルブ・オアシス」とも呼ばれる場所だ。

# ヨーロッパ

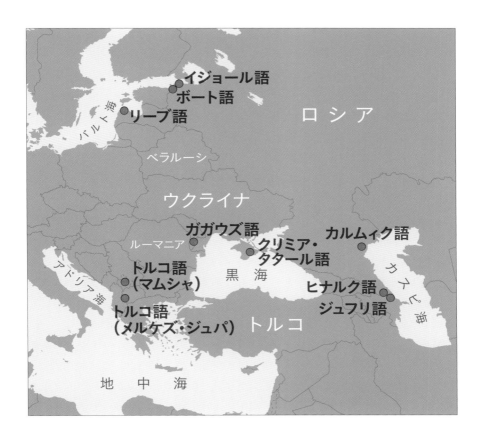

# フィン諸語

　北ヨーロッパのバルト海と白海に挟まれた地域に暮らすのは、主に**バルト・フィン系の民族**だ。**フィン人**と**エストニア人**が 98% 以上を占める。

　それ以外のフィン系の少数派民族のなかに、**リーブ人**または**リボニア人**（リーブ語ではリーブリスト）と呼ばれる人々がいて、主に**ラトビア**北部で暮らしている。現在の人数は世界全体で 300 人に満たず、そのうちおよそ 200 人がラトビアにいる。リーブ人は歴史を通じて**リーブ語**（リーブ語では**リーボ・ケール**）を話してきたが、この言語は**フィンランド語**および**エストニア語**と非常に近い。現在は、第 2 言語レベルの話者が 50 人未満、基本的な知識を持つ人が数百人いると考えられている。

　20 世紀末、ラトビア政府はリーブの文化と言語を保護するため、**リボニア海岸**（リーブ語では**リーボード・ラーンダ**、ラトビア語では**リービエシュ・クラスツ**）という文化保護地域を設けた。これはラトビアの北西端にある長さ60 キロの沿岸地域で、12 のリーブの村がある。その 1 つ**ミチェウトルニス村**（リーブ語では**ピザー**、人口 30 人）は、ラトビアで最も高い灯台があることで知られる。

　**ボート語**（ボート語では**バッジャ・チェーリ**、話者 10 人）と**イジョール語**または**イングリア語**（イジョール語では**イジョーラン・ケール**、話者数 150 人）もフィン諸語に含まれる言語で、**イングリア**（ロシアのサンクトペテルブルクと、エストニアで最も東に位置する都市ナルバに挟まれた地域）で話されている。

ラトビア、ミチェウトルニス村（ピザー）の灯台。

# テュルク諸語

**テュルク系民族**の起源はまだ不明だが、一説によれば、彼らの祖先の一部は5000年前に現在の中国東北部を発ち、モンゴルと中央アジアを経て東ヨーロッパまでたどり着いたという。テュルク諸語に属する言語はおよそ35あり、特に広く話されているのは、**トルコ語**（7600万人）、**アゼルバイジャン語**（3300万人）、**ウズベク語**（2700万人）である。

**ガガウズ語**はテュルク諸語の1つで、モルドバとウクライナにいる15万人が話している。ガガウズの政治的中心地はモルドバの**ガガウズ自治区**にある。ガガウズ語はテュルク諸語の下位グループである**オグズ語群**に属し、この語群には、ほかにトルコ語、アゼルバイジャン語、**トルクメン語**が含まれる。ロシアのエカチェリーナ大帝は、ガガウズ人がロシアの南のはずれに住むことを許可したが、1つ条件をつけた。すべてのガガウズ人が東方正教会の信徒となることだ。彼らはこの条件を受け入れ、今でもガガウズ人は正教を信仰する数少ないテュルク系民族の1つである。

残念ながら、ガガウズ語の状況は決して芳しくない。公的書類もウェブサイトも、そして学校教育も、すべてロシア語を使っている。

トルコという国はトルコ語が話されている地域としては最大だが、ほかにもトルコ語が使われている小さな言語島がいくつかある。その1つが、コソボのプリズレンから北へ15キロの距離にある**マムシェ**（トルコ語およびセルビア語では**マムシャ**）という町だ。約5500人が居住していて、その93%はトルコ系である。

そこから少し南下した北マケドニア西部のアルバニアとの国境沿いに、**ツェンタル・ジュパ**（トルコ語では**メルケズ・ジュパ**）という自治体がある。この自治体の人口は約6500人で、その80%がトルコ系だ。北マケドニアの専門家に言わせれば、実はこれらトルコ系の人々は、**トルベシ**と呼ばれるマケドニアのイスラム教徒だということになるだろう。

ツェンタル・ジュパにある**コジャジク村**は、トルコ共和国の建国者で初代大統領でもあるムスタファ・ケマル・アタテュルクの両親の家があったことで知られる。

クリミア・タタール語（またはクルムタタール・ティリ）は、クリミア半島、そしてウズベキスタンをはじめ世界各地に離散したクリミア・タタール人によって話されている。テュルク諸語のなかのキプチャク語群（最も知られているのは、カザフ語、キルギス語、タタール語）に属する言語だ。今日、クリミアに約26万人、ウズベキスタンに15万人のクリミア・タタール人が住んでいるが、これは、第二次世界大戦中および戦後に、ドイツに協力したとしてスターリンにより強制移住させられた結果である。クリミア・タタール人はルーマニア（約2万5000人）とブルガリア（3000人）にも住んでいる。

伝統的な衣装を着たクリミア・タタール人。

# カルミィク語

何世紀もの間、**オイラート**と呼ばれるモンゴル系民族は内モンゴルと外モンゴルを支配下に入れようと試みてきたが、18 世紀半ば、清がとうとう戦いに勝利した。その結果、大勢のオイラート族が西へ移住することになり、たどり着いた先で**カルミィク人**（カルミィク語では**ハリマゴード**）となった。

カルミィク人は 17 世紀半ばからカスピ海西岸に住むようになったモンゴル系民族の一派で、この地には今も、ロシア連邦の一部を構成する**カルミィキア共和国**がある。国内で最も広く信仰されている宗教が仏教という国は、ヨーロッパでは唯一ここだけだ。

スターリンが命じたカルミィク人の強制移住は、**カルミィク語**（カルミィク語では**ハリマグ・ケレン**）、公式には**カルミィク・オイラート語**（カルミィク語では**ハリマグ・ウールディーン・ケレン**）と呼ばれる言語にも重大な影響をもたらした。現在カルミィキアには 18 万人以上の住民がいるが、このオイラート語の方言を話すのはわずか 8 万人（主に年長者）にすぎず、そのためこの言語はユネスコから「危険」な状態にあると認定されている。カルミィク語は、モンゴルと中国でオイラート語の方言を話す人ならだいたい理解できる。ただし、当然ながらカルミィク語にはロシア語と周辺のテュルク諸語からの借用語が数多くある。

第一次世界大戦末期、ロシアでは「赤軍」（共産主義者）対「白軍」（反共産主義者）の内戦が続いた。白軍が敗北すると、白軍側について戦った数百人のカルミィク人は当時のユーゴスラビア王国へと逃れた。そして 1929 年、ユーゴスラビアの首都ベオグラードに、おそらくロシア以外のヨーロッパでは初となる仏教寺院を建立した。ベオグラード近郊のコニャールニーク（セルビア語で「馬の飼育地」を意味する）は、カルミィク人がこの地域で馬をたくさん飼育していたことからそう名づけられた。残念なことに、ベオグラードに残るカルミィク人の痕跡はそれしかない。仏教寺院は第二次世界大戦中に大きな被害を受け、20 年後に完全に取り壊された。ベオグラードのカルミィク人はソ連赤軍の報復を恐れて米国に逃れ、現在はニュージャージー州**フリーウッド・エイカーズ**が米国における主要拠点の 1 つとなっている。

チェスを楽しむカルムィク人。カルムィキア共和国の首都エリスタにて。

# ヒナルク語

　コーカサス山脈の北東、カスピ海の西は、**北東コーカサス語族**の故郷である。この語族の言語が話されているのは、主にロシア（**ダゲスタン**、**チェチェン**、**イングーシ**の各共和国）と、**アゼルバイジャン**北部だ。この語族で最大の言語は**チェチェン語**で、北東コーカサス語族の話者の 3 分の 1 がこの言語を母語としている。

　**ヒナルク語**（ヒナルク語では**ケトゥシュ・ミツ**）は、単独で北東コーカサス語族の 1 本の枝を構成している。アゼルバイジャン北部の**ヒナルク村**（ヒナルク語では**ケトゥシュ**）で、およそ 3000 人が打ち解けたコミュニケーションにヒナルク語を使っているが、公的な場や教育においては常に公用語のアゼルバイジャン語が使われる。この村は標高 2200 メートルにあり、降雪のため 1 年の半分以上はほぼ近づくことができず、そのことが地元の言語の保存に一役買っている。研究によると、ヒナルク語には格の数が 14 ないし 19 あるとされ、ヨーロッパの言語のなかでかなり格の多い言語とされている。また、周辺の言語と同様、名詞に男性、女性、動物、無生物の 4 つの文法性がある。

アゼルバイジャン、ヒナルク村の眺望。

# ジュフリ語

コーカサス山脈の東の端にある**グルムズ・ゲセベ**（「赤い町」の意）は、イスラエルと米国以外ではおそらく唯一、ユダヤ人だけが暮らす町だ。この町はアゼルバイジャンの北東部にあり、4000人の**山岳ユダヤ人**または**コーカサス・ユダヤ人**、あるいは**ジュフール**とも呼ばれる人々が住んでいる。

山岳ユダヤ人は、紀元前5世紀にコーカサス（当時は**ペルシャ帝国**の一部）にやって来たと信じられている。現在のアゼルバイジャンとダゲスタンに当たる、人を寄せつけない高地の谷間で生活することで現在まで生き延びてきた。自分たちの土地を果敢に守り抜いた彼らは、無情の戦士にして騎手として知られるようになった。ユダヤ人のこのグループの中心地が、かつて「コーカサスのエルサレム」と呼ばれたグルムズ・ゲセベなのだ。

「赤い町」を含むコーカサスの山岳ユダヤ人は、**ジュフリ語**または**ユダヤ・タート語**と呼ばれる言語を話す。これはペルシャ語の方言に古代ヘブライ語の表現や語彙が数多く加わってできた言語である。

ジュフリ語は、この地域で話されているほかのイラン語群（クルド語など）と比較すると、現代ペルシャ語に近い。20世紀初めまでは**ヘブライ文字**が使われていたが、第一次世界大戦後にはラテン文字、その後まもなくキリル文字が使われるようになった。今では、ヘブライ文字が使われる場面が増えつつある。

6つのドームがあるシナゴーグ（ユダヤ教の会堂）。アゼルバイジャン、グルムズ・ゲセベにて。

# アフリカ

地中海

●コランジェ語
アルジェリア　リビア

●シワ語
エジプト

ニジェール

紅海

大 西 洋

イ ン ド 洋

ナミビア
ボツワナ
●ター語

# コランジェ語

　**ソンガイ語群**または**アイネハ語群**は系統関係を持つ言語や方言からなるグループで、ティンブクトゥ、ガオ（かつて栄えた強大なソンガイ帝国の首都）、そしてニジェールの首都ニアメなど、主にニジェール川に沿った大都市で話されている。ソンガイ語群は**北ソンガイ語群**と**南ソンガイ語群**という 2 つのグループに分けられ、言語数は後者のほうが多い。

　**コランジェ語**（コランジェ語では**クワラ・ン・ジャイ**、「村の言語」の意）は北ソンガイ語群の言語で、アルジェリア西部の、モロッコの国境から 150キロ離れた**タベルバラ**のオアシスに暮らす 5000 人のうち約 3000 人が使っ

ている。タベルバラはアルジェリアで唯一、アラビア語も**ベルベル語**も話さない人が多数派を占める町だ。ただ、コランジェ語はソンガイ語群に属しているとはいっても、アルジェリアの公用語であるアラビア語とベルベル語の影響を強く受けている。例えば、タベルバラ・オアシスの住人たちは、1（a-ffu）と2（inca）と3（inẓa）以外の数にはアラビア語の数詞を使う。また、コランジェ語でソンガイ語群を起源とする語は40%にすぎない。ニジェールの**インガル**周辺で話されている**タサワク語**は、系統的にコランジェ語に最も近い言語だと考えられている。残念ながらコランジェ語を教える学校はなく、子どもにコランジェ語を伝える親もどんどん減っている。アラビア語をしっかり覚えたほうが有益だと思っているからだ。

# クリック言語

　アフリカで話されている言語の少数（そしてオーストラリアでつくられた1つの言語）には、ほかの言語と比べて際立った特徴がある。いわゆるクリック音（吸着音、舌打ち音）またはクリック子音を使うことだ。これは、ほかの多くの言語では賛同できないことや残念な気持ちを表すときに用いる音で（イギリス英語では Tut-tut、アメリカ英語では Tsk! Tsk! と書く）、日本語の「チェッ」に相当する。地中海地域では、質問に対して「ノー」と答える代わりに似たような音を使う言語が多い。つい最近では、南アフリカ共和国の映画『コイサンマン』によってクリック言語が注目を浴びるようになった。主人公カイはカラハリ砂漠に住むサン人（ブッシュマン）で、クリック言語の1つを話す。
　クリック音を使う言語は、かつてはコイサン語族に含まれるとされていた。今日の一般的な見方によると、かつてコイサン語族の3つの枝と考えられ、主に**ナミビア**、**ボツワナ**、**南アフリカ**で話されていた言語群（**コエ**、**トゥー**、**カー**）は、実際には別々の語族で、共通する要素があるのは地理的に近いためである。コイサン語族に属するとされていた**サンダウェ語**と**ハッザ語**は、今では孤立し

た言語として扱われるのがふつうだ。

　**ター語**または**コン語**はトゥー語族の言語で、音素の数が（おそらく）最も多い言語として知られている。現代の研究によると 200 個以上の子音と母音があり、これに対して英語の話者が使い分けている音は 45 個未満だ。ター語の特徴は子音をふんだんに使うこと、そして 80% 以上の語がクリック音で始まることで、書くときは語頭に「！」などの記号をつけて表す。

　ター語のター（Taa）という言葉は「人間」を表し、言語名の完全な形（**tâa ǂâã**）は「人間の言語」という意味になる。数を数えるときター語の表現を用いるのは 1（ǂʔûã〈クウアン〉）と 2（ǂnûm〈ヌム〉）と 3（ǁâe〈カエ〉）だけで、ほかの数詞には近隣の言語からの借用語を使う。話者の総数は 2500 人ほどで、そのほとんどは**ボツワナ**と**ナミビア**の国境地帯に住んでいる。

　インド洋の向こうの**オーストラリア**では、アフリカ以外でクリック音を用いる唯一の言語、**ダミン語**が話されている。ダミン語は儀式用の言語で、オーストラリア北部のカーペンタリア湾に暮らす先住民**ラーディル（クナナーメンダーとも）**と**ヤンカール**の献身的な人々が使っている。残念なことに、ラーディルとヤンカールの言語はほぼ消滅し、それとともに多くの伝統も失われつつあるため、ダミン語が現在会話で用いられることはない。この 2 つの民族の伝統は徐々に復興しており、オーストラリアでも再びクリック言語を耳にする日が来ることが期待されている。

# シワ語

　現地では**ジュラン・ン・イシワン**と呼ばれる**シワ語**は、ベルベル語派のうち最も東で話されている言語だ。エジプトで使われている唯一の先住民ベルベル人の言語であり、**シワ・オアシス**と**ガラ・オアシス**で話されている。エジプトの、リビアとの国境からそう遠くないこの2つのオアシスには、現在3万人以上が暮らし、日常のコミュニケーションでシワ語を使っている。だが、エジプト政府がこの言語の存在を認めていないため、シワ語が学校やメディアで用いられることはない。

　古代のシワ・オアシスはアモン神の信託の場として知られ、そのためシワは「アモン・ラーのオアシス」と呼ばれていた。アレクサンドロス大王がエジプト征服後にこの聖地を訪れたのは有名な話だ。古代エジプトの**プトレマイオス朝**（かのクレオパトラ7世が最後のファラオだったヘレニズム王朝）の時代、このオアシスは「木々の平原」と呼ばれていた。

シワ・オアシスにある、エジプトの神アモン・ラーを祭った神殿の廃墟とモスク。背後に見えるのが「木々の平原」。

# 北アメリカ

## ハイ・タイダー

　世界のどこでも、孤立したコミュニティーでは既存の言語から新しい方言や言語が発展することが多い。

　まさにそれが米国ノースカロライナ州の連なる島々と砂州からなる**アウター・バンクス**で起こったことだ。パムリコ湾の大きな潟を大西洋と隔てているこの地域は、**ハイ・タイダー**または**ホイ・トイダー**というアメリカ英語の特殊な方言が使われていることで知られる。この方言は、**オクラコーク・ブローグ**とも呼ばれている。オクラコークとはアウター・バンクスのオクラコーク島にある町の名前で、ブローグは英語を話すときの特徴的な（特にアイルランドやスコットランド風の）アクセントのことだ。何世紀も孤立していた結果、この地ではほかと異なる方言（アイルランドやオーストラリアのアクセントに少し似ていると言えなくもない）が発展した。だが、現在この古い方言を話すのは 200 人足らずで、今後その数が増える可能性はほとんどない。それは、現代になってますます多くの観光客がこの地域を訪れるようになり、標準アメリカ英語による電子メディアを使うことも増えてきたためである。

　ホイ・トイダーという名称は、地元の人々がよそ者たち（オクラコーク・ブローグではディングバッターズ）に自分たちの言葉と標準英語の違いを説明す

るときによく使う韻を踏んだフレーズ、Hoi toide on the saind soide（It's high tide on the sound side、「湾側は満潮だ」の意）に由来する。ここでいう「湾」はパムリコ湾を指す。

# ルイジアナのイスレニョス

　**イスレニョス**（「島の人々」の意）とは、モロッコの沖 100 キロにあるスペインの自治州、カナリア諸島の出身で、米国ルイジアナ州に住んでいる人々のことだ。18 世紀後期、イスレニョスの祖先 2000 人ほどが、ごく短期間スペイン植民地だったミシシッピ・デルタ周辺に住み始め、やがてフランス人、クレオール、フィリピンやラテンアメリカからの移民など、この地域のほかの民族集団と混ざり合っていった。時とともに子孫はどんどん増えたが、米国南部は沼地、河川、深い森などがあり比較的足を踏み入れにくい土地だったので、このスペイン語の方言は今日まで受け継がれてきた。現在この言語を話す人は主に 80 代で、今は**デラクロワ島**とその周辺にあるいくつかの漁村に集中している。デラクロワ島といっても実際には島ではなく本土の一部で、どこまでも続く湿地とゆったり流れる平地河川に囲まれた場所である。

　イスレニョスの子孫が最も多いセントバーナード郡では、毎年ロス・イスレニョス・フィエスタという大規模な祭りが行われ、音楽や食べ物などカナリア諸島の伝統を称える。

ロス・イスレニョス・フィエスタで
踊る人々。

# イディッシュ語の言語島

　わたしたちの時代、最も多く言及されるユダヤの言語はヘブライ語と**イディッシュ語**である。この 2 つの主な違いは以下のとおりだ。

- ●ヘブライ語はアラビア語や**エチオピアのアムハラ語**と同じくセム語派の言語で、話者は 1000 万人いる。主にイスラエルで使われている。
- ●イディッシュ語は基本的にはドイツ語の方言だが、スラブ語派からの借用語が多く、ロマンス諸語からの借用語も若干ある。世界各地、多くは米国、英国、カナダ、スウェーデンに離散している 200 万〜 300 万人のユダヤ人が話す。

　最近まで、**カーヤス・ジョエル**はニューヨーク州モンローの中にある村だった。この村は 1970 年代初めに**ハシド派のユダヤ人**（正統派ユダヤ人のコミュニティー）によってつくられたが、人口増加に伴い、この地域が拡大すると問題が生じた。いさかいや衝突が相次いだのち、住民投票によりカーヤス・ジョエルの村は新しく誕生したパームツリーという町に組み込まれることが決まった。現在、カーヤス・ジョエルには 3 万人近くが暮らし、あらゆるコミュニケーションの場でイディッシュ語を使う。家で英語を使うのは住民の 6% にとどまり、92% がイディッシュ語、2% がヘブライ語を使う。ほとんどの女性は 2 人目の子どもが生まれると仕事をやめて育児に専念する。カーヤス・ジョエルの人々は大家族で子どもは 6 〜 10 人いるのがふつうなので、コミュニティーの境界を広げる必要があるのもうなずける。この町の住民は、宗教生活も社会生活も厳格な掟に従っている。町の入り口には、住民たちが敬意をもって従うようにと基本的な行動規範が掲げられている。

　北アメリカにおけるイディッシュ語の言語島は、カーヤス・ジョエルだけではない。ニューヨーク州ロックランド郡ラマポにあるリゾート地、**モンゼイ**もその 1 つだ。今日では約 2 万 5000 人がモンゼイに住み、その 41.5% がイディッシュ語、7% がヘブライ語を話す。興味深いことに、モンゼイにすっぽりと囲まれる形で**ケイサー**という村があり、5000 人の住民はハシド派ユダ

ヤ人だ。この村は 1990 年につくられ、今ではニューヨーク州で最も人口密度の高い（ニューヨーク市よりも高い）自治体となっている。ラマポには、ハシド派ユダヤ人だけの村がもう1つある。**ニュー・スクエア**だ。住民 8500 人は、ウクライナのスクビラで始まった超正統派ユダヤ主義運動（Square Hasidic Movement）のメンバーである。

さらに北方へ目を向けると、カナダのケベック州南西部にあるボワブリアンの町に**カーヤス・トッシュ（タッシュ）**というハシド派ユダヤ人のコミュニティーがあり、3000 人が暮らしている。この地名は、ハンガリー北東部の、ウクライナとスロバキアの国境からそう遠くないタッシュ村（現在のニールタッシュ）にちなんで名づけられた。

イディッシュ語を書くときにはヘブライ文字を使うが、ラテン文字で書くこともできる。『星の王子さま』の一節で比べてみよう。

**イディッシュ語**（ラテン文字にしたもの）:

*Oy! Kleyner prints, bislekhvayz ho ikh farshtanen dayn kleyn melankholish lebn. Gor lang, iz dayn eyntsike farvaylung geven di ziskeyt fun di zunfargangen. Ot dem nayem prat hob ikh zikh dervust dem fertn tog in der fri ven du host gezogt: Ikh hob zeyer lib di zunfargangen.*

**ヘブライ語**（ラテン文字にしたもの）:

*Hoy, nasikh katan! Kakhah hevanti, me'at me'at, et khayekha haze'irim hanugim. Yamim rabim lo hayta lekha ela hana'ah akhat viykhidah: no'am shki'ot hashemesh. Haprat hekhadash hazeh noda li bayom harevi'i baboker, keshe'amarta: Ani ohev et shki'ot hashemesh.*

空から見たカーヤス・ジョエル、2014 年撮影。

# 南アメリカ

パレンケロ語

ベネズエラ

コロンビア

カリプナ・
フレンチ・
クレオール

アマゾン川

マデイラ川

ピダハン語

ブラジル

太平洋

## カリプナ・フレンチ・クレオール

　19世紀前半、ブラジルの北の端で革命が起きた。革命の担い手は、貧困に
あえいでいた国民の大多数、そして**ブラジル帝国**の政策に関与できないことに
不満を感じていた地元のエリートだった。この結果、アマゾン・デルタからオ
イアポケ川（現在はフランス領ギアナとブラジルの国境になっている）へと多
くの人が移住した。そのなかで、**カリプナ**という民族はフランス領ギアナの民
族と密接なつながりを持つようになった。その結果、カリプナの人々は20世
紀初めに自分たちの言語を使うのを完全にやめてしまい、代わりにフランス領
ギアナ・クレオール語を改変した言語を話すようになった。今日、**カリプナ・
フレンチ・クレオール**または**ランク・パトゥア**の名で知られる言語だ。

　カリプナ・フレンチ・クレオールの語彙のほとんどはフランス語を起源とし

ているが、例外は、オイアポケ川とアマゾン・デルタに挟まれたブラジルのアマパー州に見られる多様な動植物に関する語だ。この民族は、ベネズエラ、ガイアナ、スリナム、フランス領ギアナのある南アメリカ北部に住む**カリーナ人**または**カリブ人**のなかで、最も東に住む民族である。

　カリプナ人は 2000 人から 3000 人いるとされ、10 以上の村に分かれて住んでいる。最大の村は、人口が 1000 人を超える**マンガ**（ブラジル）だ。今日では若い世代と中間の世代の多くがポルトガル語に言語を切り替えてしまったため、カリプナ・フレンチ・クレオールはその種々の変種も含めすべて消滅の危機にある。

ブラジルのマンガで開催されるディア・ド・インディオ（「インディオの日」の意）の祭り。

# ピダハン語

　**ピダハン族**はブラジルの先住民の1つで、アマゾン熱帯雨林のマイシ川（マデイラ川の支流）沿いの地域に約800人が暮らしている。彼らの自称、**ヒアイティイヒ**をおおまかに訳すと、「まっすぐな人々」という意味になる。

　**ピダハン語**を使う人は400人足らずだが、消滅の危機に瀕している言語だとは考えられていない。話者たちはどんなときにもこの言語を使い、ポルトガル語を使うのはごく限られた場合のみだからだ。

　色々な意味で、ピダハン語は最もシンプルな言語の1つと言えよう。例えば、子音は8つ、母音は3つしかないとされている。数詞は1と2しかないが、意味は「少し」と「たくさん」に近い。そのため、簡単な足し算でさえピダハンの人々には未知の概念となる。色については「明るい」と「暗い」を意味する用語があるだけだ（「白」と「黒」に相当するのかもしれない）。ほかの色は、その色を描写することで表現する。例えば、赤は「血のよう」と言う。

　ピダハンの人々は密林の中で暮らし生き抜くことにかけては真の達人だ。狩りの最中にはよく口笛でコミュニケーションをとる。言語人類学者のダニエル・エベレットは、ピダハンの人々について次のように述べている。「彼らは裸のまま道具も武器も持たずに密林に入り、3日後には、いくつものかごに果物や木の実やちょっとした獲物を山積みにして出てくる」

　世界には、口笛をコミュニケーション手段として使う言語がいくつかある。その1つ、**シルボ・ゴメロ**（「ゴメラの口笛」の意）は、スペインのカナリア諸島にある**ラ・ゴメラ島**で使われている。口笛言語はトルコ北東部の**クシュコイ村**や、フランスの、スペインとの国境からそう遠くない**アス村**にもあり、ギリシャのエビア島（エウボエアとも）の**アンティア村**では、2500年前から伝わる**スフィリア**という口笛言語が使われている。子どもに「歌う名前」（ジングルワイ・イアウベイ）をつけるという珍しい風習を持つのは、インドの孤立した村**コンソン**だ。口笛言語を思わせるが、1つ違う点がある。コンソンでは誰もが鳥のさえずりのような名前を持つが、歌う名前を使うのは誰かに呼びかけるときだけであり、コミュニケーションで常に使うわけではない。

# パレンケロ語

　**パレンケロ語**または**パレンケ語**（パレンケロ語では**レングワ**、「言語」の意）は、おそらく南アメリカで唯一の**スペイン・クレオール言語**で、コロンビア北部で使われている。パレンケロ語は、現在アフリカのコンゴ川周辺で話されている**キコンゴ語**（または**コンゴ語**）とスペイン語が混ざって生まれた。民族としての**パレンケロ**は7000人近くいるが、このクレオール言語を知っているのは3000人に満たない。ほかの人たち——特に今日の若者はスペイン語を使うことのほうが多い。

　現在、パレンケロ語の話者のほとんどは**サン・バジリオ・デ・パレンケ**という村に住んでいる。ここは、逃亡奴隷がアメリカ先住民の小さなグループと共同で17世紀初期につくった村だ。この成功した反乱の指導者はベンコス・ビオホという奴隷で、もとは、現在のギニア・ビサウに含まれる群島の王族出身だった。逃亡奴隷のなかにはさまざまな民族や言語をルーツとする人々がいたため、共通語を決める必要があった。そして、このグループの大多数が母語とするキコンゴ語をベースとし、そこにスペイン語の表現がいくつも加わった言語が形成された。言語、伝統、音楽は、かつての奴隷所有者に対する抵抗の象徴として持ち続けられている。

パレンケロの女性は、カラフルな衣装と、道端で果物を売ることで知られている。

# 用語集

### アーミッシュ
プロテスタントの一派で、17世紀にメノナイト（メノー派）から分離した。農村で伝統的な暮らしを送っている。→ p.109

### ウイグル語の改良アラビア文字
中国北西部、ウズベキスタン、キルギス、カザフスタンに住むウイグル族が用いるアラビア文字の一種。→ p.200

### オーストラリア・クリオル語
英語とシドニー周辺のさまざまな先住民の言語が混ざって生まれた言語。のちにオーストラリア全土に広まったが、やがて多くの場所で消滅した。現在北オーストラリアだけに残り、3万人以上の母語となっている。→ p.38, p.190

### オスマン帝国
かつてヨーロッパ、アジア、アフリカにまたがる地域を支配したトルコの帝国。13世紀後期から第一次世界大戦終結まで存続した。→ p.54, 57, 73, 74, 99, 156, 159, 171

### ガロ・イタリア諸語
北イタリアで話されているロマンス諸語のグループで、サンマリノ、モナコ、スイスの一部、フランス南東部でも話されている。→ p.139

### 共通語（リンガ・フランカ）
互いに相手の母語を知らない2つ以上の集団の間で用いられる言語。→ p.138

### キリル文字
スラブ語派の言語、主にロシア語、ブルガリア語、セルビア語を書くときに用いられる文字。ギリシャ文字をもとにつくられた。→ p.53, 158, 205, 206, 223

### クレオール
2つの異なる言語の混合言語から発達した言語。片方はヨーロッパの言語であるのが一般的。それぞれの言語の要素を併せ持ち、あるコミュニティーの母語となっている。→ p.184, 232, 233, 235

### クワドリポイント（四国国境）
4つの国または地域の境界が1点に集まっている場所。→ p.24

### ケルンテン方言
ドイツ語の方言のうち、互いに密接な関係にあるオーストリア・バイエルン方言のグループで、ケルンテン（現在はスロベニアとオーストリアにまたがる地域）で話されている。→ p.104, 108

### 古バルカン
バルカン半島で話されていて既に消滅した言語のグループ、およびその言語を話していた人々。→ p.128, 154

### 社会方言
ある特定の社会集団、例えば同じ職業や年齢層の人々の間で用いられる言語。→ p.136

### 神聖ローマ帝国
西ヨーロッパの国々の連合体で、ローマ皇帝の称号を持つフランク人またはゲルマン人の王が支配した。800年から1806年まで存続。→ p.98

### 正書法
ある言語を書くときに正しいと定められた綴り方。→ p.95, 140

### チロル方言
歴史的なチロル地方（現在のオーストリアとイタリアにまたがる地域）で話されている、密接な関係のある南バイエルン方言のグループ。→ p.104

## ツングース系民族
シベリアと中国北部で使われているツングース語族の言語を話す人々。→ p.201

## 飛び地
同じ地域または国家の一部だが、本土からはほかの地域または国家を通らなければ行くことができない場所。→ p.202, 208

## トライポイント（三国国境）
3つの国または地域の境界が1点に集まっている場所。→ p.66

## トルラク方言
セルビア語とブルガリア語の中間的な言語。→ p.67, 72

## ビザンチン帝国
東ローマ帝国ともいう。ローマ帝国を継承して南東ヨーロッパと小アジアを支配したが、1453年に滅亡した。→ p.169, 171, 172

## ブラーフミー文字
文字体系の1つで、インド亜大陸全土、東南アジア、および東アジアの一部で使われている。→ p.214

## ペルソ・アラビア文字
現在のイランで話されているペルシャ語（ファールシー語）を書くために改良されたアラビア文字。→ p.206, 214

## 包領
ほかの国家の領土に完全に取り囲まれている地域。→ p.162

## ミトコンドリア DNA
遺伝子情報を伝える DNA の一種。母親からのみ遺伝するため、系統をたどる研究に有用である。→ p.18

## 民族的に均質
住民全員の文化的または人種的背景が同じである地域や場所を表す。→ p.24, 162

## メノナイト（メノー派）
16世紀にオランダのフリースラントで創始された、キリスト教プロテスタントの一派。→ p.105, 107, 109, 114, 115

## ラディン語
主に北イタリアでラディン人によって話されていたロマンス語。レト・ロマンシュ語群の下位グループの1つで、スイスのロマンシュ語とフリウリ語との類似点がある。スペイン系ユダヤ人の言語であるラディーノ語と混同しないこと。→ p.76, 130

## ラテン文字
ローマン・アルファベットともいう。古代ローマ人が用いた文字で、今では英語をはじめ西ヨーロッパのほとんどの言語を書くときに用いられる。→ p.53, 158, 214, 223, 231

## 離散
もともとは1つの国家に属していた人々、または同じ言語を話していた人々が、あちこちに散らばっていること。→ p.52, 67, 154, 159, 219, 230

## ルーン文字
北ヨーロッパ、特にスカンジナビアで用いられた古代ゲルマンの文字。それぞれの文字に魔力があると信じられていた。→ p.205

## レト・ロマンス語群
スイス南東部、チロル地方、北イタリアで話されている、非常に近い関係にあるロマンス語の方言のグループ。名称はアルプス地方にあった古代ローマの属州ラエティア（Rhaetia）に由来する。→ p.76, 130

# ACKNOWLEDGEMENTS

### *THE LITTLE PRINCE* CREDITS

All translated extracts from Antoine de Saint Exupéry's *The Little Prince* are taken from www.petit-prince.at. The language, translator, book title, publication date and publisher are given for each extract: P53: **STANDARD BULGARIAN** (Romanization by author): Konstantin Konstantinov, *Малкият принц* 2nd edition (1995), Lâčezar Minčev; **BANAT BULGARIAN**: Ana-Maria Bodor Calapiș, *Manenija Princ* (2018), Editura Eurostampa; P73: **STANDARD CROATIAN**: Goran Rukavina, *Mali Princ* (2008), Marjan Knjiga; **BURGENLAND CROATIAN**: Ivan Rotter, *Mali Princ* (1998), Hrvatsko Štamparsko Društvo; **MOLISANO CROATIAN**: Walter Breu & Nicola Gliosca, *Mali Kraljič* (2009), Edition Tintenfass; P79: **UPPER SORBIAN**: Claudia Knobloch, *Mały princ* (2006), Edition Tintenfass; **LOWER SORBIAN**: Peter Jannasch, *Ten Mały princ* (2010), Edition Tintenfass; P88: **LATGALIAN**: Evika Muisniece, *Mozais Prinčs* (2018), Edition Tintenfaß; **LATVIAN**: Ieva Lase, *Mazais Princis* (2000), Jumava; P93: **SCOTS**: Derrick McClure, *The Prince-Bairnie* (2017), Grace Note Publications; **ENGLISH**: Katherine Woods, *The Little Prince* (1943), Reynal & Hitchcock; P96: **STANDARD SWEDISH**: Gunvor Bang, *Lille Prinsen* (1997), Rabén & Sjögren; **ELFDALIAN**: Bo Westling, *Lisslprinsn* (2007), Edition Tintenfass; P104: **STANDARD GERMAN**: Grete & Josef Leitgeb, Der Kleine Prinz (1987), Karl Rauch Verlag; **WALSER GERMAN**: Valentina Wyssen-Bonora, *Der chlii Prinz* (2016), Éditions Favre; **CIMBRIAN**: Andrea Nicolussi Golo, *Dar Khlumma Printz* (2016), Istituto Cimbro (Kulturinstitut Lusérn); P112: **HUNSRIK**: Solange Maria Hamester Johann, *Te kleene Prins* (2014), Edition Tintenfass; P124: **WYMYSORYS**: Tymoteusz Król & Joanna Maryniak, *Der Kliny Fjyśt* (2020), Centrum for Füśnan ån Praktyk yr Kultüryśa Watercijung and others; **WEST FRISIAN**: Jacobus Q. Smink, *De Lytse Prins* (1998), Koperative Utjowerij; **NORTH FRISIAN** (island of Sylt dialect): Erk-Uwe Schrahé, *Di litj Prins* (2011), Edition Tintenfass; P125: **SATERLAND FRISIAN**: Gretchen Grosser, *Die litje Prins* (2009), Edition Tintenfaß; **FLEMISH**: Eddy Levis, *De Klaane Prins* (2020), Edition Tintenfaß; **AFRIKAANS**: André P. Brink, *Die Klein Prinsie* (1997), Tafelberg; P129: **AROMANIAN**: Maria Bara & Thede Kahl, *Njiclu amirārush* (2007), Edition Tintenfass; P132: **ALGHERESE**: Carla Valentino, *Lo Petit Príncip* (2015), Papiros; P133: **CATALAN**: Anna & Enric Casassas, *El Petit Princep* (2016), Ediciones Salamandra; P134: **LIGURIAN**: Alessandro Lusciandro Garibbo, *O Prinçipìn* (2011), Edition Tintenfass; **TABARCHINO**: Margherita Crasto and Maria Carla Siciliano, *U Prìncipe Picin* (2015), Papiros; P137: **MIRANDESE**: Ana Afonso, *L Princepico* (2011), Edições ASA; **ARAGONESE**: Chusé Aragüés, *O Prenzipet* (2006), Gara d'Edizions; **SPANISH**: Bonifacio del Carril, *El Principito* (1981), Alianza Editorial & Emecé Editores; P152: **IRISH**: Breandán Ó Doibhlin, *An Prionsa Beag* (2007), Read Ireland; **SCOTTISH GAELIC**: George Jones, *Am Prionnsa Beag* (2008), Edition Tintenfaß; **MANX**: Rob Teare, *Yn Prince Beg* (2019), Edition Tintenfaß; **WELSH**: Llinos Iorwerth Dafis, *Y Tywysog Bach* (2007), Edition Tintenfass; P153: **CORNISH**: David Stephen, Tony Snell, Albert Bock, Benjamin Bruch and Daniel Prohaska, *An Pennsevik Byhan* (2010), Edition Tintenfass; **BRETON**: Pierette Kermoal, *Ar Priñs Bihan* (1999), Éditions Preder; P185: **HAWAIIAN**: Keao neSmith, *Ke Keiki Ali'i Li'ili'i* (2013), Edition Tintenfaß; **HAWAIIAN CREOLE ENGLISH**: Keao neSmith, *Da Small Pitot Prince* (2016), Edition Tintenfaß; P231: **YIDDISH** (in Latin alphabet): Shlomo Lerman, *Der kleyner prints* (2000), Michaela Naumann Verlag; **HEBREW** (Romanization by Harvey N. Bock, Rabbinical School Hebrew Language Coordinator, Hebrew College, MA, USA): Ilana Hamerman, *ha-nasikh ha-qatan* (1994), Am Oved Publishers Ltd.

### PHOTO CREDITS

P11: Ingwik, Wikimedia Commons, CC0 1.0; P15: dantzan / Flickr, CC BY-SA 2.0; P19: SelimBT / Shutterstock; P21: Photo courtesy of Heath, J. (2018), Bangime-speaking (Mali) village photos, University of Michigan - Deep Blue Data; P25: Japanexperterna.se, Wikimedia Commons, CC BY-SA 3.0; P27: © Sanjib Chaudhary, @sankuchy; P29: Wasiasuhail, Wikimedia Commons, CC BY-SA 4.0; P30: Courtesy of NASA; P35 ERIC LAFFORGUE / Alamy Stock Photo; P39: Bill Bachman / Alamy Stock

Photo; P43: © SanMateoDelMarOaxaca / Facebook; P44: Granger Historical Picture Archive / Alamy Stock Photo; P49: Antolin Martinez A., Wikimedia Commons, CC BY-SA 3.0; P50: marco antonio cortes valencia / Flickr, CC BY-SA 2.0; P56: Courtesy of www.pestmegye.hu; P59: Țetcu Mircea Rareș, Wikimedia Commons, CC BY 2.5; P65: Jglozik, Wikimedia Commons, CC BY-SA 3.0; P66: Courtesy of the National Council of the Polish National Minority in Serbia, poljaci.org.rs; P68: HASIM, Wikimedia Commons, CC BY-SA 3.0; P75: © Gianluca Miletti, Mundimitar / Facebook; P77: Daniele Coss / Shutterstock; P79: Frank Bienewald / Alamy Stock Photo; P83: Andre Shutterbird, Wikimedia Commons, CC BY-SA 4.0; P87: StockPhotosLV / Shutterstock; P90: ZGPhotography / Shutterstock; P93: Man vyi, Wikimedia Commons, public domain; P95: Lundgren8, Wikimedia Commons, CC BY-SA 4.0; P98: PhJ, Wikimedia Commons, CC BY-SA 3.0, CC BY-SA 2.5, CC BY-SA 2.0, CC BY-SA 1.0; P101: © Helmut Uttenthaler, @vorortanleiter / Twitter; P103: REDA & CO srl / Alamy Stock Photo; P108: Rainer Mueller, Wikipedia, CC BY-SA 3.0; P111: Rjcastillo, Wikimedia Commons, CC BY-SA 3.0; P113: (top) soualexandrerocha / Shutterstock; P113: (bottom) Dan Komarcha / Shutterstock; P117: Simon Browitt / Alamy Stock Photo; P121: Ethefor, Wikimedia Commons, CC BY-SA 4.0; P123: Willem Van Zyl / Shutterstock; P128: Paolo Santarsiero, Wikimedia Commons, CC BY-SA 4.0; P131: Emil Pozar / Alamy Stock Photo; P134: stesilvers / Shutterstock; P139: HMFS, Wikimedia Commons, CC BY-SA 3.0; P141: El Ágora, Wikimedia Commons, public domain; P149: Gastón Cuello, Wikimedia Commons, CC BY-SA 4.0; P151: Elena Elisseeva / Shutterstock; P157: Asia, Wikimedia Commons, CC BY-SA 4.0; P161: Gregory Zamell / Shutterstock; P163: Hemis / Alamy Stock Photo; P166: Angelo Giampiccolo / Shutterstock; P168: Мико, Wikimedia Commons, CC BY-SA 3.0; P175: Dan Campbell / Shutterstock; P176: Mark Ahsmann, Wikimedia Commons, CC BY-SA 3.0, CC BY-SA 2.5, CC BY-SA 2.0, CC BY-SA 1.0; P177: HallvardLid, Wikimedia Commons, CC BY-SA 3.0; P179-80: Photos courtesy of Borja Carsi, www.borjac.com; P185: Christopher P. Becker (Polihale), Wikimedia Commons, CC BY-SA 3.0, CC BY-SA 2.5, CC BY-SA 2.0, CC BY-SA 1.0; P187: Henning Axt, Wikimedia Commons, CC BY-SA 3.0; P188: Stéphen-Charles Chauvet, Wikimedia Commons, CC BY-SA 3.0; P189: EwanSmith, Wikimedia Commons, CC BY-SA 3.0; P193: *Transactions and Proceedings of the New Zealand Institute* (journal), 1901; P195: Geomr~commonswiki (assumed author), Wikimedia Commons, CC BY-SA 3.0; P197: ProjectManhattan, Wikimedia Commons, CC BY-SA 3.0; P199: Bernard Gagnon, Wikimedia Commons, CC BY-SA 3.0, CC BY-SA 2.5, CC BY-SA 2.0, CC BY-SA 1.0; P203: © William Cho / Flickr; P205: Rovas Foundation, Wikimedia Commons, CC BY-SA 3.0; P207: Teow Cek Chuan / Shutterstock; P209: © Ali Harbi, @e7rbi / Instagram; P211: © Madison Clough / Twitter; P213: (top) Bernard Gagnon, Wikimedia Commons, CC BY-SA 4.0, CC BY-SA 3.0, CC BY-SA 2.5, CC BY-SA 2.0, CC BY-SA 1.0; P213: (bottom) Mohsen.shekarrizi, Wikimedia Commons, CC BY-SA 4.0; P217: Laima Gūtmane (simka), Wikimedia Commons, CC BY-SA 3.0; P219: Юрий Рудницкий, Wikimedia Commons, CC BY-SA 4.0; P221: Rartat, Wikimedia Commons, public domain; P222: Courtesy of Lyokin Photography, www.lyokin.com; P223: Asif Masimov, Wikimedia Commons, CC BY-SA 3.0; P227: Mohammed Ali Moussa, Wikimedia Commons, CC BY-SA 3.0; P229: Los Isleños Heritage and Cultural Society of St. Bernard, Wikimedia Commons, CC BY-SA 4.0; P231: Courtesy of Parker Gyokeres, Propellerheads Aerial; P233: Wenndel Paixão, https://www.portal.ap.gov.br/, CC BY-SA 3.0; P235: Luz Adriana Villa / Flickr, CC BY-SA 2.0; P240: © Boris Nikolić

## A NOTE FROM THE AUTHOR

I have used various information sources writing this book, primarily from the Internet. Among these was the BBC website, which has rich information from a diversity of locations around the world. The main sources of data were Wikipedia and Britannica, along with various other sites (Omniglot, Mutuzikin.com, Minority Rights Group International, Wikisource, Ethnologue, Ukrainer.net).

# 著者あとがき

私は20世紀後半、現在のセルビアの中央にあるゴルニ・ミラノバツという美しい町で生まれた。私の幼少期から青年期にかけて、ユーゴスラビアと呼ばれていたその国は、6つの共和国（それにセルビア内の2つの自治州）からなる社会主義連邦国家だった。主要言語は南スラブ語群の1つで複数中心地言語のセルビア・クロアチア語だったが、ユーゴスラビア国家が分裂すると、言語も分裂し、セルビア語、クロアチア語、ボスニア語、モンテネグロ語の4つに分かれた。こうして生まれた4言語は、どれもほとんど完全に相互理解が可能だ。だがユーゴスラビアでは、セルビア・クロアチア語以外にも色々な言語が使われていた。スロベニア語、マケドニア語、アルバニア語、ハンガリー語、ルーマニア語、スロバキア語、チェコ語、イタリア語、ポーランド語、ルシン語——話者数はさまざまだったが、どの言語もそれぞれの共和国や州や自治体の中で公用語という地位を与えられていた。

これほど数多くの言語が身近にあることに、子どもだった私の好奇心はかき立てられた。今でも覚えているが、国営テレビ局はニュースや文化・芸術番組をさまざまな言語で放映していて、私は自分の知らない言語に耳を傾けるのが好きだった。わかる言葉がないか聞き取ろうとしながら、この狭い地域にこれほど数多くの言語を話す人が住んでいるということに心が躍ったものだ。たぶん、その記憶がこの本の執筆につながったのだろう。本書は、地球上のあらゆる場所で使われている珍しい言語を一堂に集めようと（素人ながら）試みた。そう、それらの言語を話している人々が、自分の言語を「珍しい」などと思っていないことはわかっている。だが本書では、この「珍しさ」を、もっと大勢の話者がいて、もっとよく知られた言語を話す最大多数の人々の視点で眺めてみた。

ここで、妻のダニエラと息子のボリスに感謝したい。2人とも、執筆中の私を（いつも）邪魔することなく、それどころか（時には）助けてくれた。また、翻訳を編集してくれたナーダ・ミロサブリェビッチ、言語に関する短い前書きを寄せてくれた大切な友人イバナ・ペリシッチにも感謝している。そして、ハーパーコリンズ・パブリッシャーズの皆様、特に、サラ・ウッズ、ケリー・ファーガソン、ジェスロ・レノックスに、心からの感謝を捧げる。

ゾラン・ニコリッチ

THE ATLAS OF UNUSUAL LANGUAGES
Originally published in the English language by
HarperCollins Publishers Ltd. under the title
The Atlas of Unusual Languages:
An exploration of language, people and geography
Copyright © Zoran Nikolić and Collins Books 2021
Translation © Nikkei National Geographic Inc. 2022,
translated under license from HarperCollins
Publishers Ltd
Zoran Nikolić assert the moral right to be acknowl-
edged as the author of this work.
This edition published by arrangement with
HarperCollins Publishers Ltd, London through
Tuttle-Mori Agency, Inc., Tokyo

# あなたの知らない
# 世界の希少言語
## 世界6大陸、100言語を全力調査！

2022年6月20日　第1版1刷

| | |
|---|---|
| 著者 | ゾラン・ニコリッチ |
| 翻訳 | 藤村奈緒美 |
| 日本語版監修 | 山越康裕　塩原朝子 |
| 編集 | 尾崎憲和　川端麻里子　田島進 |
| 装丁・デザイン | 宮坂淳 |
| 翻訳協力 | トランネット |
| 編集協力・制作 | (株)リリーフ・システムズ |
| 発行者 | 滝山晋 |
| 発行 | (株)日経ナショナル ジオグラフィック |
| | 〒105-8308　東京都港区虎ノ門4-3-12 |
| 発売 | (株)日経BPマーケティング |
| 印刷・製本 | (株)加藤文明社印刷所 |

本書は英ハーパーコリンズ・パブリッシャーズの書籍「THE ATLAS
OF UNUSUAL LANGUAGES」を翻訳したものです。内容につい
ては原著者の見解に基づいています。

ISBN978-4-86313-531-4　Printed in Japan

乱丁・落丁本のお取替えは、こちらまでご連絡ください。
https://nkbp.jp/ngbook